D0571448

Le
cadeau
du
Millionnaire

Du même auteur

Les Hommes du zoo, roman, Montréal, Éditions Québec Amérique, 1998.

Le Millionnaire, Montréal, Éditions Québec Amérique, 1997.

Le Livre de ma femme, roman, Montréal, Éditions Québec Amérique, 1997.

Le Golfeur et la millionnaire, roman, Montréal, Québec Amérique, 1996.

Le Psychiatre, roman, Montréal, Québec Amérique, 1995.

MARC FISHER

Le cadeau du Millionnaire

Un conte sur le travail et l'amour

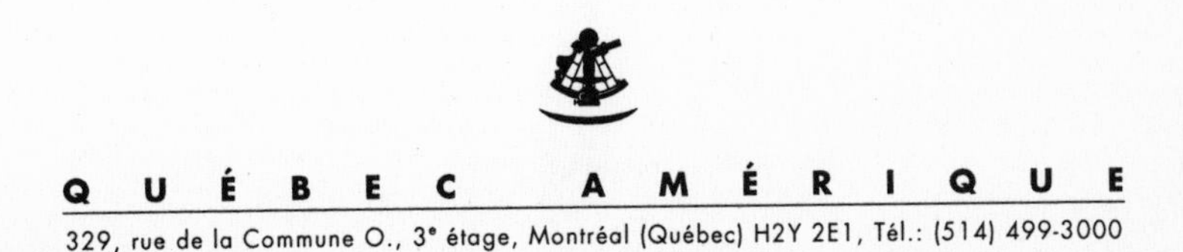

QUÉBEC AMÉRIQUE
329, rue de la Commune O., 3ᵉ étage, Montréal (Québec) H2Y 2E1, Tél.: (514) 499-3000

Données de catalogage avant publication (Canada)

Fisher, Marc, 1953 -
Le Cadeau du millionnaire

ISBN 2-89037-930-2

I. Titre.
PS8581.O24C32 1998 C843'.54 C98-941391-8
PS9581.O24C32 1998
PQ3919.2.P64C32 1998

Les Éditions Québec Amérique bénéficient du programme de subvention globale du Conseil des Arts du Canada.

Le Conseil des Arts du Canada depuis 1957 | The Canada Council for the Arts since 1957

Elles tiennent également à remercier la SODEC pour son appui financier.

SODEC
Québec

Dépôt légal : 4e trimestre 1998
Bibliothèque nationale du Québec
Bibliothèque nationale du Canada

Mise en pages : PageXpress

À Cathy Miller

À Nityananda

1

Où une jeune femme rêve d'une vie autre...

Il était une fois une jeune femme insatisfaite de sa vie.

À trente-deux ans, elle semblait pourtant, comme on dit, avoir tout pour elle : un mari exemplaire, un joli appartement, un emploi dans une prestigieuse maison d'édition new-yorkaise.Mais ce tout ne lui suffisait pas. Il lui restait un vide.

C'était surtout qu'à ses yeux sa carrière piétinait. Cette jeune femme se désâmait depuis cinq ans et était encore, comme à ses débuts, adjointe à l'éditeur, ce qui, comme chacun sait dans le merveilleux monde américain de l'édition – demeure l'échelon le plus bas. Situation d'autant plus exaspérante pour elle qu'elle avait été doublée par nombre de ses collègues, souvent plus jeunes qu'elle et entrées plus tard chez Davon Press, la grande maison de l'avenue des Amériques où elle rongeait son frein en attendant qu'on reconnaisse son talent.

Ambitieuse et énergique, elle quittait rarement le bureau sans avoir les bras chargés de travail, et elle n'aurait sans doute pas pu citer le dernier vendredi où elle était rentrée à la maison sans rapporter deux ou parfois trois manuscrits à lire pendant le week-end.

Michèle – c'était le nom de cette jeune femme – aurait volontiers accepté ce quasi-esclavage si au moins la direction l'en avait récompensée par la promotion qu'elle convoitait depuis des années. Mais le temps passait, et elle était toujours oubliée, comme si elle n'existait pas ou n'avait pas l'étoffe nécessaire. Pourtant, avec ses cheveux blonds coupés court, son petit nez retroussé, ses yeux bleus à l'éclat rieur, elle était vraiment mignonne et ne passait pas inaperçue. Mais sa popularité avec les hommes ne lui avait jamais valu une promotion.

Elle avait lu nombre d'ouvrages sur le succès, dans lesquels on prêchait les mérites admirables de la patience. Elle se demandait maintenant si sa persévérance ne relevait pas d'une stupide obstination, et si elle avait jamais compris quelque chose à tous ces manuels qui d'ailleurs n'avaient peut-être pas d'autre vertu que celle d'enrichir leurs auteurs.

Dans ses moments de découragement les plus profonds – malgré son naturel heureux, elle avait ses « heures sombres » –, elle se demandait si elle n'avait pas commis l'erreur la plus banale et la plus fatale à la réussite : se leurrer sur sa propre valeur.

Peut-être, somme toute, souffrait-elle simplement de ce syndrome si courant dans une société obsédée par le succès : être rongée par une ambition qui excédait son talent. Elle avait vu trop grand. (C'était pourtant le conseil de tous les auteurs dont elle s'était nourrie : mais ce qui était un remède pour l'un était peut-être un poison pour un autre !) Elle se croyait une géante : elle n'était qu'une naine.

Elle devrait tôt ou tard se regarder dans le miroir de la vérité : elle n'était pas née pour évoluer dans les hautes sphères du succès, qui pourtant l'attiraient depuis l'enfance trop modeste que son père l'avait forcée à vivre. Si elle se brûlait un jour les ailes, ce ne serait pas, comme le héros de la mythologie, pour avoir volé trop haut dans le firmament de l'ambition, mais plutôt pour avoir trop laissé souffler sur elle le dragon hideux de la frustration. Si l'idéal nous élève, des insuccès répétés finissent par nous rabaisser.

Parfois, aux heures les plus sombres, lorsqu'elle faisait un bilan, qu'elle comparait l'endroit où elle était dans sa carrière avec celui où elle aurait aimé (ou croyait devoir) se trouver à son âge, elle se disait, au bord des larmes :

« J'ai tout raté, je n'y arriverai jamais ! Et je sais pourquoi, je sais pourquoi : je ne suis pas assez intelligente ! »

Pourtant, en cette journée de la fin de décembre, le démon familier de l'espoir était revenu la visiter. C'est que, le lendemain matin, aurait lieu une importante réunion au cours de laquelle un nouvel éditeur serait nommé. Le mois précédent, une démission inattendue avait rendu le poste vacant. Jamais la belle pomme d'or dont Michèle avait toujours rêvé n'avait paru si proche de sa main ambitieuse. Quel magnifique cadeau de Noël ce serait pour elle si elle obtenait le poste !

Moins expérimentée, la seule autre candidate, Agatha Dupond, était entrée chez Davon Press depuis un an seulement et n'avait, sauf erreur, rien fait d'exceptionnel, si ce n'est de se montrer d'une extrême servilité envers madame Simon, sa patronne, l'éditrice pour laquelle Michèle travaillait elle aussi. On la disait déterminée et très ambitieuse, et surtout prête à tout pour arriver à ses fins. Mais à vingt-sept ans, elle était encore jeune pour des responsabilités aussi grandes que celles d'éditeur et sa réputation de fille aux principes élastiques allait peut-être se retourner contre elle : traditionaliste, le monde de l'édition se méfie des arrivistes sans scrupules.

Madame Simon, une femme d'une quarantaine d'années, élégante mais sévère, avec des cheveux noirs et des yeux bleus très perçants, avait donné à Michèle l'assurance qu'elle soutiendrait sa candidature à la fameuse réunion. Mais la jeune femme avait des doutes. Elle ne savait jamais ce que sa patronne pensait vraiment. Elle ne savait pas si elle l'aimait, si elle appréciait son travail, si elle la trouvait assez douée pour devenir éditrice. Il faut dire qu'elle était plutôt avare de compliments avec elle. Et parfois, la jeune femme surprenait dans son regard une dureté à son endroit, qui était peut-être de la haine.

À moins que ce ne fût de la jalousie, une simple rivalité féminine. C'est que, divorcée depuis cinq ans, sa patronne n'avait jamais pu refaire sa vie. Et ce n'était pas faute d'efforts de sa part ! Simplement, ses airs autoritaires semblaient éloigner les candidats sur lesquels elle avait jeté inutilement son dévolu.

Elle aurait rêvé de plaire à un homme comme Henri Parker, un des vice-présidents les plus influents de la société éditrice, ancien avocat, bel homme, fin causeur, qui avait attiré à la maison d'édition de nombreux auteurs-vedettes qui l'avaient suivi de chez le précédent éditeur dont il avait démissionné avec fracas. La jeune femme était elle aussi attirée par Parker et lui vouait une sorte d'admiration secrète. Brillant et ambitieux, il était auréolé de ce prestige que confère tout naturellement le pouvoir. Toujours tiré à quatre épingles, il portait des complets Armani, des souliers Gucci.

Si son mari avait pu s'inspirer un tant soit peu de cette élégance ! Mais, professeur, il s'habillait comme un éternel étudiant, ce qui ne lui avait pas déplu, il y a dix ans, lorsqu'ils s'étaient rencontrés : mais avec le temps, il semblait à Michèle qu'il aurait pu évoluer, changer de style, troquer la chemise à carreaux contre celle de coton fin et le foulard négligé contre la cravate de soie.

En plus d'être séduisant, Parker se montrait toujours prévenant avec la jeune femme, la défendait auprès de ses collègues et abondait souvent dans son sens au cours des réunions. Son seul défaut était sans doute de lui faire une cour un peu trop insistante, même s'il était marié, tout comme elle.

Cet empressement à son endroit – qui la flattait même si elle n'osait se l'avouer – la contrariait car, elle le sentait, il irritait sa patronne, qui lui en voulait sans doute de plaire à Parker même si elle ne faisait aucun effort en ce sens. Ne devait-elle pas, pour cette raison même, se méfier de madame Simon et mettre en doute son appui ?

Pourtant, pas plus tard que la veille, cette dernière lui avait donné l'assurance qu'elle voterait pour elle à la réunion. Un vote qui était fort important puisque, avec Parker et Davon, le président de la maison d'édition, ils étaient seulement trois à élire le nouvel éditeur.

Toute la journée, la jeune femme avait tenté de consolider sa position auprès de sa patronne qui, supposément trop débordée, n'avait pu la recevoir. Elle avait aussi tenté de parler à Parker, mais sa secrétaire chaque fois lui avait annoncé qu'il était en réunion ou au téléphone, si bien qu'elle avait passé le mardi dans une attente cruelle, de plus en plus inquiète, se demandant si ses appuis ne se dérobaient pas à la dernière minute.

C'était le soir, la jeune femme était rentrée à son petit appartement de Soho et, pour se détendre, s'était tout de suite servi un verre de vin blanc un peu insipide : le couple ne pouvait se permettre du meilleur vin, pas plus qu'il n'avait pu se permettre de changer de mobilier en dix ans ni de déménager.

— Qu'est-ce qu'on mange ? lui demanda son mari qui sortait de la petite pièce où, depuis des années, il s'échinait à terminer sa thèse de doctorat qui lui permettrait peut-être un jour d'obtenir un poste de professeur à plein temps à l'université et de gagner enfin un salaire décent.

— Je ne sais pas, je n'ai pas vraiment faim à vrai dire.

— Ah, se contenta de dire son mari, un peu distraitement.

Il se servit à son tour un verre de vin blanc et but une longue gorgée qui le ravit, comme si c'était un grand cru.

C'était un homme du même âge qu'elle, mais qui avait l'air un peu plus jeune, peut-être parce qu'il se faisait un peu moins de souci. Avec sa taille mince, sa longue chevelure brune, son visage sans rides et ses yeux bruns où brillait un éclat que sa femme trouvait naïf, il aurait presque pu passer, malgré ses trente-deux ans, pour un de ses étudiants.

Il émit un soupir de satisfaction, prit une autre gorgée qui parut le ravir tout autant. La jeune femme n'en revenait pas. Comment pouvait-il se contenter d'un vin si ordinaire, si médiocre ? N'aspirait-il donc à rien de mieux dans la vie ? Il la regarda, satisfait, puis son front lisse se fronça :

— Tu n'as pas l'air dans ton assiette, toi, dit-il.

— C'est à cause de la réunion de demain, je suis nerveuse...

— La réunion de demain ?

Elle sourit tristement. Elle lui avait parlé au moins dix fois de cette réunion, de son importance pour sa carrière. Mais il n'avait pas écouté. Ou il avait oublié.

Comme c'était différent de leurs débuts, alors qu'il buvait littéralement ses paroles, qu'il devinait même sa pensée tant il était attentif à ses moindres désirs ! Mais après sept ans de mariage – et presque dix ans de vie commune, car ils s'étaient installés ensemble très peu de temps après leur rencontre –, il était peut-être normal que son mari fût un peu distrait. Il était si absorbé par la rédaction de sa thèse...

— Oui, la réunion, pour ma promotion, expliqua-t-elle avec dépit.

— Ah, oui, je ne sais pas où j'avais la tête !

— Madame Simon m'a dit depuis le début qu'elle voterait pour moi, mais je ne sais pas, je n'ai pas un bon *feeling*. J'ai essayé toute la journée de lui parler, on dirait qu'elle m'évite. Je me demande si elle n'a pas changé d'idée à la dernière minute, à cause de Parker qui me...

Elle s'interrompit. Elle ne voulait pas avouer à son mari que Parker lui tournait autour parce qu'il en prendrait peut-être ombrage : il n'aimait pas Parker, qu'il avait rencontré pour la première fois un an auparavant, au *party* de Noël de la maison d'édition.

Mais la jeune femme songea à se raviser et à parler de l'engouement de Parker... Un peu de rivalité secouerait peut-être son mari qui, depuis un an, était froid avec elle, comme si quelque chose avait brusquement changé, comme si elle n'existait plus... Ou comme s'il y avait quelqu'un d'autre dans sa vie... Mais il était si secret, si peu loquace lorsque venait le temps de parler de ses sentiments, de leur mariage...

— Parker ?

— Oui, il... lui aussi, on dirait qu'il m'a évitée systématiquement toute la journée...

— Moi, je dis que tu te fais des idées... C'est toi qui vas être choisie, dit-il un peu mécaniquement au goût de sa femme, comme s'il voulait simplement se débarrasser d'elle et ne pas avoir à subir de nouveau ses angoisses. Mangeons quelque chose, ça va te faire du bien...

Manger, c'était la seule chose qui l'intéressait !

— Es-tu passée à l'épicerie en rentrant du bureau ?

— Non, avoua-t-elle, même si c'était entendu depuis le matin : c'était elle qui devait rapporter ce qui était nécessaire au repas du soir.

— Ah, dit-il, cachant mal sa contrariété.

— Bon, dit-elle, je commande du chinois et c'est moi qui t'invite, proposa-t-elle pour se faire pardonner.

Elle l'invitait de toute manière neuf fois sur dix, parce qu'avec ses maigres émoluments de chargé de cours il n'avait jamais un rond. À leurs débuts, ils s'étaient entendus pour payer tout à deux, moitié moitié, mais il y avait longtemps qu'elle avait renoncé à ce pacte comme à toute comptabilité.

— Super ! dit son mari.

Ils mangèrent les mets chinois comme ils les mangeaient presque toujours : en pyjama, dans leur lit, en écoutant la télé. Mais au lieu de faire suivre ce dîner oriental d'élans passionnés, comme il leur arrivait presque invariablement dans leurs premières années, ils restèrent rivés au petit écran, et la jeune femme dut subir la maniaque indécision de son mari qui changeait de chaîne toutes les trente secondes, incapable de se fixer ou cherchant à tout voir en même temps.

L'estomac noué, elle n'avait presque pas mangé et avait trouvé son mari un peu dégoûtant de se vautrer dans des mets chinois qui étaient tièdes et somme toute fort quelconques.

Comme le vin blanc dont il les avait arrosés.

Comme leur vie amoureuse, qui était pour ainsi dire inexistante depuis un an.

En fait depuis le *party* de bureau de Noël de l'année précédente au retour duquel ils s'étaient disputés assez violemment, parce qu'elle avait peut-être un peu trop dansé avec Parker, qui venait juste d'arriver dans la maison d'édition et avait tout de suite jeté son dévolu sur elle, ce qui l'avait flattée, parce que toutes ses collègues étaient pâmées sur lui...

Elle se leva, se dirigea vers les toilettes.

— Qu'est-ce que tu fais ? demanda son mari, s'arrachant héroïquement au téléviseur.

— Je ne me sens pas bien, dit-elle, je pense que je ne digère pas les mets chinois.

Il y avait plusieurs choses, en réalité, qu'elle ne digérait pas, mais en dresser la liste à son mari aurait été trop long et puis il y avait tant de choses qu'il ne comprenait pas et ne comprendrait sans doute jamais, peut-être simplement parce qu'il était un homme.

Des choses comme quoi ?

Par exemple qu'une femme, en tout cas une femme ambitieuse comme elle, devait pouvoir être fière de son mari, devait pouvoir l'admirer pour pouvoir l'aimer, et que la chose devenait difficile et relevait presque de l'exploit – ou d'un amour vraiment aveugle ! – quand à trente ans passés le mari gagnait encore un salaire d'étudiant et peinait sur une thèse qu'il ne terminerait peut-être jamais, faute de talent ou de détermination.

Comme quoi encore ?

Qu'une femme parfois avait besoin d'un peu de folie, de faire un voyage exotique, de pouvoir acheter un vêtement extravagant, de recevoir un bijou, de rêver quoi, et surtout d'avoir un peu de passion même si, elle en était consciente, et elle l'acceptait à regret, elle ne retrouverait probablement jamais les frissons des premiers jours...

— Tu devrais prendre du Eno, suggéra son mari, un peu distraitement et absorbé de nouveau par la télé.

— Oui, dit-elle, c'est une idée.

Elle passa enfin aux toilettes, où elle eut un haut-le-cœur, comme si elle allait vomir... Elle prit de grandes respirations – un autre truc infaillible qu'elle avait appris dans ses bouquins de pensée positive ! – et au bout de quelques secondes se sentit un peu mieux. Mais par précaution, elle s'empressa d'ouvrir la petite armoire, trouva le Eno, dont elle versa une dose généreuse dans un grand verre d'eau fraîche qu'elle but avec empressement. Tout de suite elle se sentit mieux, comme si le remède avait été miraculeux ou comme si son malaise n'avait été qu'une fausse alarme. Ce n'était pas la première fois, du reste, que la chose lui arrivait : la nervosité, qui chez les uns se rabat sur le cœur ou la tête, chez elle frappait invariablement l'estomac, véritable baromètre de ses humeurs.

Rassurée, elle s'examina dans la glace, se trouva fort pâle, épongea son beau grand front que de fines gouttelettes de sueur rendaient luisant. Elle avait les traits tirés, et il lui semblait qu'en quelques jours – elle ne dormait plus depuis que la date de la fameuse réunion avait été arrêtée – elle avait vieilli de cinq ans.

D'ailleurs, elle nota alors, à la commissure de ses lèvres, une ride nouvelle. Était-ce la contrariété ? Ou simplement l'âge, qui petit à petit étendait sur elle son empire ?

L'âge...

Trente-deux ans...

Elle était encore jeune certes, et pourtant le sentiment la gagnait de plus en plus que si quelque chose ne se produisait pas rapidement dans sa carrière, il serait trop tard, elle raterait le coche...

Trente-deux ans...

Elle avait découvert sa mortalité à son trentième anniversaire et pour la première fois de sa vie, même si elle était encore pleine d'entrain, de ressort, elle avait senti qu'elle avait commencé à vieillir... Elle ne pouvait plus comme avant lire un bon roman – ou dans son cas, la plupart du temps, un manuscrit, qui n'était pas toujours bon et ne deviendrait peut-être jamais un livre ! – jusqu'à deux heures du matin. Elle le pouvait, mais ensuite il lui fallait deux jours pour rattraper le sommeil perdu.

Oui, elle vieillissait...

N'était-ce pas pour cette raison d'ailleurs que son mari la négligeait, qu'il ne lui faisait plus l'amour que parcimonieusement, et d'ailleurs distraitement comme s'il pensait à autre chose, à sa thèse, peut-être, qui l'obsédait, ou à une autre femme...

Une idée lui traversa l'esprit. Elle ne se sentait pas vraiment en forme, et pourtant, pourquoi ne pas tenter de séduire son mari ? Pour vérifier auprès de lui son charme déclinant. Et, faisant d'une pierre deux coups, pour dissiper sa nervosité. Jeune, à la veille de ses examens, c'était le truc qu'elle utilisait – faire l'amour –, sans d'ailleurs s'en cacher auprès de son mari qui se félicitait de pouvoir lui administrer cette médecine toute personnelle.

Et puis, elle se rapprocherait peut-être de lui avec qui elle n'avait plus fait l'amour depuis ...

Depuis quand ?

Elle ne s'en souvenait même plus...

Était-ce deux mois ?

Trois mois ?

Oui, trois mois...

Depuis leur dispute du *party* de bureau, c'était le rythme désolant qu'ils avaient adopté, on aurait dit : une fois tous les deux ou trois mois, par instinct, par hygiène, par habitude...

Elle vaporisa en direction de ses oreilles ce parfum qui ne lui convenait pas vraiment mais que son mari avait trouvé irrésistible lorsqu'elle en avait fait l'essai – Poison, qui seyait plus à une femme de type latin qu'à une blonde comme elle –, songea un instant à retirer son pyjama et à se présenter nue dans la chambre, mais se ravisa : ce n'était pas assez subtil. Un simple sourire en retirant ses boucles d'oreilles suffirait à faire comprendre à son mari ses intentions.

Et peut-être aussi le fait de déboutonner les trois premiers boutons de son pyjama...

Deux précautions valent mieux qu'une, surtout lorsqu'une femme a pour rival l'omnipuissant téléviseur !

Contre lequel pourtant elle n'eut pas à se battre : de retour dans la chambre à coucher, elle trouva son mari endormi, la bouche ouverte, ronflant déjà.

Il était à peine huit heures et demie !

En retirant – inutilement – son pyjama pourtant ravissant devant son mari, elle pensa que sa vie ne ressemblait vraiment pas à celle dont elle avait rêvé !

Heureusement, il y avait la réunion du lendemain, et cette promotion qui, l'espérait-elle, allait tout changer...

La nuit, elle fit un rêve qui lui parut prémonitoire : elle avait reçu l'ordre de transporter une poule brune jusqu'à un château, moyennant quoi une forte somme d'argent lui serait remise, qui la libérerait enfin de tous ses soucis. Mais elle devait éviter un loup qui supposément hantait la forêt et ne se nourrissait que de poules brunes. Arrivée en vue du château, elle vit le loup qui lui barra la route et exigea d'elle qu'elle lui remît le précieux volatile, faute de quoi il la tuerait. N'écoutant que son courage, elle se mit à courir et échappa bientôt au carnassier. Elle se félicitait de sa propre bravoure lorsqu'elle se rendit compte que la poule était morte : elle s'était changée en bibelot de porcelaine ! Elle se désola : elle ne recevrait pas la récompense ! Dans sa contrariété, elle trébucha sur une pierre, échappa la poule qui se brisa en mille éclats et qui, à sa grande surprise, était remplie de pièces d'or !

Oui, ce rêve lui avait paru de bon augure. Malgré ses craintes, elle obtiendrait le poste, et ses problèmes financiers seraient enfin réglés, parce qu'elle gagnerait presque le double des malheureux vingt-sept mille dollars dont elle devait se contenter.

Le matin, en se rendant au travail dans sa petite voiture fort rouillée qu'elle échangerait dès qu'elle obtiendrait sa promotion, – elle s'en était fait la promesse ! – elle était nerveuse, pourtant.

Elle avait revêtu un tailleur anthracite qui lui donnait un air très sérieux, très femme de pouvoir, image qui, avait-elle lu dans un autre de ses livres aux conseils infaillibles, l'aiderait à obtenir le poste tant convoité : l'habit fait le moine dans le monde des affaires !

Et elle se répétait constamment que tout irait bien, qu'elle avait toutes les qualités qu'il fallait pour devenir enfin éditrice, que sa rivale ne faisait pas le poids, que ses efforts des cinq dernières années seraient enfin récompensés : il y avait une justice après tout, et, dans sa balance, sa candidature pèserait plus lourd. Elle récolterait enfin ce qu'elle avait semé : c'était mathématique, en somme, et il était inutile de s'en faire comme elle s'en faisait.

Ce ne fut que vers onze heures trente qu'elle connut enfin le verdict du destin. À peine quelques minutes après que la réunion fut terminée, alors que, incapable de travailler, elle arpentait nerveusement le corridor, elle croisa Parker qui esquissa son sourire parfait, si parfait que plusieurs mauvaises langues soupçonnaient ses dents d'être fausses. Il ne pouvait guère lui parler puisqu'il était en compagnie du grand patron, Davon – avec qui il allait déjeuner –, mais il parvint à lui dire qu'il était désolé, que les circonstances ne s'étaient pas prêtées à sa nomination, qu'elle ne devait toutefois pas se décourager : des jours meilleurs l'attendaient.

— Je comprends, se contenta-t-elle de dire.

Même si elle ne comprenait pas.

Même si elle ne comprenait plus rien.

Même si elle était aussi révoltée qu'une femme pût l'être.

Son estomac se noua et elle sentit qu'elle allait vomir, et cette fois-ci pas comme la veille, pour de bon. Comment trouva-t-elle la force de se rendre jusqu'aux toilettes ? Elle n'aurait su le dire. Mais là, elle venait à peine de s'enfermer dans une cabine pour éviter les regards indiscrets qu'elle vomit dans la cuvette toute sa révolte, toute sa frustration, tout son découragement.

Puis elle resta de longues secondes courbée, à reprendre son souffle, la bouche dégoulinante, le cœur agité par l'effort, à se demander si c'était terminé puis enfin, lorsqu'elle fut certaine que son estomac était vide, que toute la bile était au fond de la cuvette, elle en chassa l'eau.

Elle prit ensuite du papier de toilette, s'épongea le front, s'essuya la bouche, le menton. Puis elle vérifia son tailleur.

Malheureusement, elle l'avait éclaboussé de vomissure ! Elle laissa échapper un grognement de frustration. Un tailleur qu'elle adorait, qui lui allait à merveille et surtout qu'elle avait payé une fortune, du moins pour ses modestes moyens ! Elle ne pouvait pas se permettre de le perdre ! Il fallait qu'elle se dépêche de le rincer, pour éviter qu'il ne restât taché, pour éviter que l'odeur âcre qu'il répandait ne l'imprégnât définitivement.

Elle sortait de la cabine pour se précipiter vers le lavabo lorsqu'elle entendit la porte des toilettes s'ouvrir, puis les rires de deux femmes qu'elle n'eut pas de peine à reconnaître : c'était sa patronne, madame Simon, avec sa protégée, Agatha, une jeune femme aux cheveux noirs coupés à la garçonne, aux yeux verts très brillants et aux gestes un peu nerveux de fumeuse invétérée qui, huit heures par jour, ne pouvait pas fumer : Davon Press, comme tout New York, avait banni le tabac.

La jeune femme referma en vitesse la porte de la cabine et retint son souffle. Elle entendit les pas de ses deux collègues s'arrêter devant les lavabos, que surmontait une large glace.

— Ils n'y ont vu que du feu ! dit madame Simon.

— Un vrai jeu d'enfant, renchérit Agatha. Je regrette seulement une chose.

— Tu regrettes une chose ? demanda avec surprise madame Simon.

— Oui, c'est que vous n'ayez pas dit que, pour me ravoir, mon ancienne maison d'édition était prête à me donner un salaire encore plus élevé que celui que j'ai obtenu...

— Ho ! ho ! protesta madame Simon, tu aurais gagné plus que moi. Sois patiente...

— Mais oui, je sais, je plaisantais...

Et de nouveau les deux femmes firent résonner leur rire insupportable, celui de deux hyènes. Terrée dans son étroite cabine, la jeune femme comprit qu'elle avait été bien naïve, que le monde de l'édition – probablement le monde en général – était plus dur qu'elle ne le pensait, que tous les coups, même les plus bas, étaient non seulement permis mais sans doute nécessaires : le monde appartenait aux plus rusés et non aux idéalistes comme elle. Avec ses beaux principes constamment entretenus par ses édifiantes lectures, elle n'était qu'une petite dinde qui n'irait jamais nulle part malgré son travail acharné, malgré sa grandiose ambition.

2

Où la jeune femme fait une rencontre inattendue

Elle quitta le bureau en cinquième vitesse, en regardant droit devant elle pour ne devoir parler à personne, pour ne pas avoir à subir les remarques consolantes de ses collègues, qui toutes connaissaient son ambition et devaient discuter de son échec lamentable. Elle avait simplement envie de marcher, pour ne penser à rien, pour oublier.

Elle avait quitté le bureau si rapidement qu'elle avait complètement oublié de prendre son imperméable, qui lui aurait été utile, car c'était décembre et le temps était frais. Mais elle s'en moquait. Elle était comme une somnambule. Elle ne sentait rien, elle marchait vite, regardant droit devant elle.

Elle gagna sans s'en rendre compte la Cinquième Avenue, où les vitrines étaient magnifiquement décorées en ce temps des fêtes.

Mais pour elle, Noël aurait-il un sens cette année ?

Le seul cadeau qu'elle aurait aimé recevoir, qui l'aurait rendue heureuse, elle ne l'aurait pas, elle ne l'aurait jamais. Elle n'était pas dupe : les promesses de Parker n'étaient qu'une manière polie de la consoler. La direction ne considérait pas qu'elle avait la trempe d'un éditeur. À preuve, on lui avait préféré une rivale plus jeune, moins expérimentée. Et pourtant, elle était certaine qu'elle avait tout le talent nécessaire, que c'était juste des circonstances contraires, une injustice du destin qui l'empêchait de faire enfin ses preuves.

Elle ralentit enfin son pas, et pour la première fois remarqua une vitrine, et particulièrement un très beau tailleur, bleu marine de surcroît : or il y avait des mois qu'elle s'en cherchait un de cette couleur passe-partout pour compléter une garde-robe trop limitée à son goût. Et puis surtout, une fort alléchante affichette annonçait qu'il était en solde à demi-prix!

La jeune femme était endettée autant qu'on pouvait l'être, elle n'avait pas obtenu sa promotion ni par conséquent l'augmentation de salaire qui l'aurait tirée enfin d'ennui, mais, comme pour se moquer de sa malchance, pour faire un pied de nez au destin – et peut-être plus simplement pour pouvoir éviter de retourner au bureau avec un tailleur taché – elle décida d'entrer pour l'acheter.

Elle palpa le tissu du tailleur, de la laine très fine, ce qu'elle préférait puisque c'était presque infroissable et à New York avec la chaleur humide de l'été, c'était vraiment idéal. La coupe lui plaisait aussi, celle du corsage surtout, juste assez décolleté, et les boutons l'amusèrent, des boutons ronds, très grands, qui donnaient au vêtement un petit côté gamin. Franchement, tout était parfait, à moins qu'ils n'aient pas sa taille : ça lui arrivait presque à tout coup lorsqu'un vêtement lui plaisait particulièrement! Mais au col, elle trouva tout de suite une étiquette qui indiquait la taille : la sienne! Plus que le prix à vérifier : elle retourna l'étiquette. Pas de prix. À une des manches, une autre étiquette, mais celle du couturier, qui ne portait pas de prix non plus. Agaçant à la fin.

Heureusement une vendeuse s'approchait et lui posait la question habituelle :

— Vous voulez l'essayer ?

— Euh, oui, mais d'abord je voudrais savoir le prix.

— Vous avez de la chance... Il est à moitié prix. À huit cents dollars.

— C'est-à-dire quatre cents ?

— Non, il se vend normalement mille six cents, c'est un Alfred Sung. Évidemment vous êtes sur la Cinquième, il faut avoir certains...

Elle allait sûrement dire « moyens », mais se retint, préférant ne pas froisser cette cliente qui pourtant n'en deviendrait probablement jamais une.

— Oh, je... je vais y penser.

Déçue et humiliée une fois de plus – c'était décidément le lot de sa journée ! – elle quitta la boutique où elle ne remettrait probablement jamais les pieds. Des tailleurs qui, même réduits de cinquante pour cent, ne se vendent pas à moins de huit cents dollars alors qu'elle ne consacrait jamais plus de deux cents dollars pour les siens, et encore c'était trop pour son budget puisqu'elle devait presque tout payer dans le ménage...

Encore une fois l'argent ou plutôt le manque d'argent qui la frustrait ! Elle sortait de la boutique, et jetait un regard déçu vers ce tailleur qui ressemblait à sa vie, lorsque son attention fut retenue par une joyeuse ribambelle d'enfants qui émergeaient de la boutique voisine où l'on vendait des jouets.

Les bras chargés de cadeaux, les enfants, fous de joie, couraient dans toutes les directions malgré les avertissements des deux hommes qui les escortaient. Le premier, la trentaine corpulente, affichait un magnifique teint d'ébène qui rendait brillant son sympathique visage joufflu et portait un uniforme, une casquette et des gants. C'était Edgar, le chauffeur du second homme, visiblement plus âgé que lui et qui semblait avoir au moins soixante-dix ans. Il était déguisé en roi antique, avec un grand manteau de fourrure noire, une couronne dorée et un sceptre. Il avait du reste un port princier, se tenait bien droit pour un homme de son âge, si bien que le lourd collier d'or qui ornait sa poitrine était bien visible.

Il affichait une belle tête blanche et marchait de manière fort débonnaire, un sourire fin sur des lèvres encore très rouges pour un homme de son âge. Sur le trottoir, les passants prenaient sûrement ce noble vieillard pour un excentrique ou un illuminé, et rares étaient ceux qui auraient pu deviner qu'il disposait d'une fortune colossale et se faisait appeler « le millionnaire ».

De ses grands yeux bleus qui pétillaient de sagesse et d'humour, il regardait la dizaine d'enfants qui, surexcités par la chance inouïe qui venait de s'abattre sur eux, se bousculaient devant lui sur le trottoir. Un émerveillement incrédule nimbait encore leur visage : un parfait étranger venait de leur permettre de s'acheter en une heure pour mille dollars de cadeaux ! Pour eux qui étaient orphelins, c'était plus inespéré que le plus fou de leurs rêves de petits déshérités de la terre.

Mais pour l'un des enfants, un petit Mexicain de six ans qui n'en paraissait que quatre, le rêve sembla soudain se transformer en cauchemar. Il tenait dans ses mains un ballon de soccer noir et blanc qui était plus gros que sa petite tête : il ne put résister à la tentation de le lancer sur le trottoir de toutes ses forces. Le ballon bicolore fit un bond, heurta un lampadaire et dévia vers la rue, où il roula, au grand désespoir de l'enfant. Craignant de le perdre ou de le voir écrasé par une voiture, l'enfant ne fit ni une ni deux et, sans regarder, voulut le rattraper.

La jeune femme le vit courir dangereusement dans la rue. Elle vit surtout un immense camion qui roulait à bonne vitesse dans sa direction.

— Attention ! cria-t-elle, attention ! Il y a un camion !

Mais pour le bambin, il n'y avait rien d'autre au monde que son ballon. Il le récupéra, fit un grand sourire, découvrant ses dents que son teint sombre rendait encore plus blanches. Mais son sourire bientôt se transforma en grimace. Il entendit un bruyant klaxon derrière lui, se tourna, vit l'énorme camion qui venait vers lui et dont on entendait les pneus crisser sur l'asphalte de la rue. Paralysé par la peur, l'enfant serra son cher ballon contre sa poitrine et écarquilla ses grands yeux bruns.

Le millionnaire et son chauffeur virent l'enfant, échangèrent un regard consterné : comment avait-il pu échapper à leur surveillance ? Il faut dire que tout s'était passé en une fraction de seconde et que la garde d'une dizaine d'enfants surexcités n'est pas une sinécure. Ils n'eurent pas le temps d'intervenir, car déjà la jeune femme, qui avait été la première à voir l'enfant courir imprudemment dans la rue, se précipitait vers lui, le soulevait dans les airs et, avec une force dont elle se surprit elle-même, le projeta vers le trottoir où il roula comme un petit acrobate. Une culbute, et il se rétablissait sur ses deux pieds sans même échapper le ballon de soccer qui avait failli lui coûter la vie.

De là, la lèvre inférieure pendante, les yeux arrondis par la stupéfaction, il regarda l'étrangère qui, comme un véritable ange gardien, venait de le sauver.

Pour éviter le mastodonte – et une mort certaine –, elle fit un bond rapide, se crut sauve.

Mais la courroie de son sac à main s'accrocha à une des tiges métalliques du camion, qui servait au chauffeur à évaluer ses distances lorsqu'il garait son véhicule.

Lorsqu'elle s'en rendit compte, il était trop tard.

Il lui sembla qu'on lui arrachait littéralement l'épaule et le bras droits, et elle fut entraînée, poussa un cri de terreur en perdant pied en même temps qu'un de ses souliers qu'elle vit rouler sous les roues du camion.

Si la courroie de son sac à main cédait, elle subirait le même sort que son soulier, glisserait sous les immenses roues, serait broyée. Il fallait qu'elle s'accroche, qu'elle réussisse à monter sur le marchepied du camion, qui était juste sous elle. Elle déploya un effort immense, parvint à se hisser à moitié, pendant qu'elle entendait les crissements du camion qui freinait.

Mais le temps lui manqua : la courroie de son sac se brisa, la jeune femme ne put se retenir au camion, tomba de tout son long sur la chaussée, hurla de terreur lorsqu'elle comprit qu'elle était maintenant certaine de mourir, qu'elle ne pourrait éviter les roues meurtrières.

Elle ferma les yeux et, en une pensée curieuse, au lieu de revoir le film de son existence, se consola à l'idée que de toute façon elle avait tout raté, qu'elle n'attendait plus rien de la vie et que donc mieux valait en finir.

Pourtant, elle ne sentit rien, comme si sa mort avait été sans souffrance.

Incrédule, elle ouvrit les yeux et comprit alors que son heure n'était pas encore arrivée : le camion s'était immobilisé, et ses pieds ne se trouvaient plus qu'à quelques centimètres de ses roues. Elle était saine et sauve ! Elle n'en revenait pas.

Un homme d'allure un peu fruste, avec une grosse barbe poivre et sel, des lunettes noires et une casquette de base-ball, accourut, se pencha bientôt vers elle. C'était le conducteur du camion qui avait quitté en hâte sa cabine et la questionnait, anxieux :

— Vous n'avez rien de brisé ?

— Je...

Elle ne savait pas. Simplement, elle éprouvait un élancement à l'épaule, et aussi une brûlure à la hanche droite et au genou. Elle s'examina, comme pour mieux répondre à la question du camionneur, et constata qu'au cours de sa glissade la jupe de son tailleur s'était relevée jusqu'à la taille et qu'on voyait son porte-jarretelles ; depuis quelques mois, elle en portait un – inutilement – pour secouer l'indifférence de son mari : il lui avait avoué un jour que c'était une de ses petites fantaisies secrètes, mais ce devait concerner d'autres femmes.

Elle esquissa un sourire embarrassé, s'empressa de repousser sa jupe vers ses genoux et entendit le conducteur dire : « C'est beau... » Elle pensa qu'il faisait allusion à ses cuisses dénudées et était assez goujat pour se permettre un tel commentaire dans une situation semblable. Elle s'apprêtait à le rabrouer quand il compléta :

— ... ce que vous avez fait !

Ah bon ! elle comprenait, c'est beau ce que vous avez fait et non pas vos jambes ou votre porte-jarretelles...

Quand même ! Elle n'aurait pas été étonnée outre mesure, les hommes étant ce qu'ils sont, surtout à New York...

— Le petit, reprit le conducteur, je ne pense pas que j'aurais pu l'éviter, il s'est jeté devant moi, et je respectais la limite de vitesse...

Elle ne dit rien et, toujours assise dans la rue, reprenant ses esprits, elle massa son épaule droite qui était encore douloureuse, mais c'était supportable ; pensée consolante, elle n'avait rien de brisé... Sur les jambes et sans doute sur les hanches – mais cela elle le constaterait seulement plus tard à la maison –, de nombreuses ecchymoses bleuissaient sa pâle peau de blonde couverte d'éraflures et de la poussière de la rue.

Un attroupement s'était formé autour d'elle, et les voitures ralentissaient, dans un mélange de curiosité et de prudence. Un homme demanda si elle souhaitait qu'il appelle une ambulance ou la police.

— Non, dit-elle, je crois que ça va aller.

L'homme insista. Le camionneur l'interpella à voix haute :

— Vous n'avez pas entendu ce qu'elle vient de dire ? Elle n'est pas blessée.

Il n'avait pas le droit d'emprunter la Cinquième Avenue avec son lourd camion, craignait l'arrivée de la police qui entraînerait forcément une amende, toutes sortes d'ennuis... L'homme rabroué souleva les épaules et s'éloigna : il ne voulait qu'aider...

La jeune femme vit alors se pencher sur elle un homme dont l'accoutrement lui parut plutôt singulier : c'était le millionnaire, drapé dans son grand manteau sombre, qui, pendant qu'il avait couru vers elle, avait cependant retiré sa couronne; il tenait celle-ci dans ses mains encore très belles pour un homme de son âge.

Quelques secondes plus tard, elle le reconnaissait : c'était le vieux monsieur qui, avait-elle cru comprendre, escortait les enfants à la sortie de la boutique de jouets. Il lui tendit une main qu'elle hésita un instant à accepter. Son visage la rassura : il était pétri de bonté même si une sorte de sévérité et d'autorité se dégageaient de ses yeux bleus d'une clarté remarquable. Et puis, malgré toute son excentricité, un homme qui s'entourait ainsi d'enfants, qui semblait se plaire dans leur compagnie et, selon toute apparence, les couvrait de cadeaux, ne pouvait pas être mauvais.

Elle prit enfin sa main, se leva, vérifia qu'elle tenait bien sur ses deux jambes et que donc elle n'avait pas de foulure ni de fracture, malgré la perte d'un escarpin.

Les passants attardés applaudirent. Elle pouvait se tenir debout : elle était hors de danger. Et puis elle avait fait preuve d'un héroïsme extraordinaire, risquant sa propre vie pour sauver celle d'un parfait inconnu.

— Je ne peux vous dire à quel point je vous suis reconnaissant... dit le millionnaire.

— Vous êtes le bienvenu, répliqua-t-elle un peu curieusement comme s'il l'avait remerciée d'avoir ouvert la porte devant lui parce qu'il était plus âgé qu'elle.

Elle était visiblement encore sous le choc, en train de revoir la scène horrible qu'elle venait de vivre, son épaule qui avait failli s'arracher, le soulier qu'elle avait perdu et qui avait roulé sous les immenses roues sous lesquelles elle avait failli être broyée elle aussi...

— Ce sont de petits orphelins que j'adore, expliqua le vieil homme, et que je visite depuis des années. Si

Pedro était mort en raison de ma négligence, je pense que je n'aurais jamais pu me le pardonner...

— Vous n'avez rien à vous reprocher, tout s'est passé si vite...

C'était vrai que tout s'était passé très vite... Et la jeune femme pensa que la vie était curieuse, et surtout bien fragile, puisque quelques minutes plus tôt elle marchait avec insouciance sur la Cinquième Avenue – enfin peut-être pas vraiment avec insouciance puisqu'elle était bouleversée par sa récente déception – et puis si la courroie de son sac avait lâché plus tôt ou si le chauffeur avait appliqué les freins une seconde plus tard, elle ne serait pas sur le trottoir en train de recevoir les remerciements sincères de cet excentrique vieil homme qui tenait dans sa main une couronne d'or : elle serait probablement morte !

Sur le trottoir, serrés étroitement autour d'un Edgar nerveux, les enfants avaient eux aussi applaudi et sautaient de joie : leur petit copain, Pedro, était sain et sauf.

Au lieu de s'enorgueillir de ce témoignage de reconnaissance, la jeune femme examinait sa jupe, ses bas de nylon, qui étaient foutus, et se rendait compte – elle l'avait oublié – qu'il lui manquait un soulier, qu'un curieux lui rapporta d'ailleurs à ce moment tandis qu'un autre homme lui remettait bientôt ce qui restait de son sac à main. Elle les remercia, puis aussitôt après plissa les lèvres, dépitée : son soulier était tout tordu et, après une hésitation, elle renonça à le mettre.

— Venez, lui dit le millionnaire, ne restez pas ici.

Et il l'aida à marcher jusqu'au trottoir, pendant que le camionneur, soulagé par la tournure des événements, remontait dans sa cabine et partait sans demander son reste. Les curieux se dispersaient, et dans une Cinquième

Avenue un instant paralysée, la circulation reprenait son cours normal.

Le millionnaire escorta la jeune femme jusqu'au trottoir, où le petit Mexicain semblait les attendre, serrant toujours son ballon contre sa poitrine, les yeux encore écarquillés par la peur.

— Pedro, dit le millionnaire, voici la dame qui t'a sauvé la vie. J'espère qu'à l'avenir tu seras plus prudent avec ton ballon.

— Oui, dit-il, c'est promis, c'est promis.

Alors il retint son ballon contre sa hanche et, de sa main libre, il tira de sa poche une enveloppe qu'il remit à la jeune femme.

— C'est pour toi, dit-il.

— Pour moi ?

— Oui, c'est mon porte-bonheur.

— Ton porte-bonheur ? C'est gentil, mais tu ne peux pas me le donner, qui va te porter chance si tu ne l'as plus ?

— Toi.

— Moi, mais je...

Elle ne comprenait pas trop. C'était une logique d'enfant de toute manière. Elle sourit au petit Mexicain qu'elle trouvait adorable avec ses grands yeux innocents et sa belle tignasse noir de jais.

Elle examina alors l'enveloppe qu'il venait de lui remettre. Son coin supérieur gauche était orné du joli dessin naïf d'une maison qui aurait pu être dessinée par un enfant et comportait un nom : *La maison des enfants*, qui était un orphelinat célèbre à New York. Aussi la jeune femme comprit-elle que l'enfant en était probablement un pensionnaire et que, comme certaines bonnes âmes hélas trop peu nombreuses, l'excentrique vieillard déguisé en roi avait sans doute voulu, à l'approche de Noël, soulager la tristesse du petit Mexicain et de ses camarades sans famille, en les couvrant de cadeaux.

— C'est là que tu habites? demanda la jeune femme pour confirmer son intuition.

Et elle désignait le dessin de la maison sur l'enveloppe.

— Oui, dit le gamin.

— C'est joli.

— Oui, mais la maison de mon papa était bien plus grande.

La maison de son papa...

Qui «était» bien plus grande...

Comme c'est triste! pensa la jeune femme...

Pour tromper sa tristesse, elle ouvrit l'enveloppe et y trouva un vieux sou noir; elle le fit sauter dans la paume de sa main qui, deux secondes plus tôt, tremblait encore.

— Oh, c'est gentil, dit-elle, très gentil. Maintenant, j'aurai toujours de la chance.

— Oui, dit-il, c'est vrai.

La jeune femme jeta un regard en direction du millionnaire qui assistait à la scène avec attendrissement, puis remit le sou dans l'enveloppe, qu'elle considéra de nouveau et dont elle désigna le coin gauche :

— Et en plus de me donner un sou, dit-elle, tu me donnes ton adresse...

Le petit Mexicain éclata de rire, comme si elle venait de proférer une énormité.

— Mais non, lui expliqua-t-il comme on explique à un enfant une évidence, parce que si je te donne mon adresse, je n'en aurai plus.

— Oui, c'est vrai, je... dit la jeune femme amusée encore une fois par la logique de l'enfant.

Et elle voulut mécaniquement mettre l'enveloppe dans son sac, dont elle avait oublié qu'il était si mal en point. Elle la serra à la place dans la poche droite de son tailleur, qui était déchiré, probablement fini en fait, et qu'il faudrait remplacer en vitesse... Elle rangea finalement le cadeau du petit Mexicain dans l'autre poche.

— Bon, je dois partir maintenant, Pedro, je te souhaite de passer un très beau Noël.

— Toi aussi.

— Tu vas me promettre d'être prudent avec ton ballon, hein ?

— Oui, je te le jure.

Et il lui sauta dans les bras, l'embrassa, sans laisser tomber son précieux ballon.

— Edgar, dit le millionnaire, amène nos petits amis manger... dit-il en désignant l'enseigne d'un établissement qui paraissait parfaitement convenir à des enfants puisqu'il servait le *nec plus ultra* de la gastronomie enfantine : de la pizza !

— Oui, monsieur.

Et il entraîna à sa suite les enfants à qui, pour obtenir leur obéissance, il annonça qu'il les régalerait de pizza !

Se retrouvant seul avec la jeune femme, le millionnaire lui demanda :

— Est-ce que vous avez mangé ?

— Non...

— Me permettez-vous de vous inviter ?

— Non, je... je dois retourner au bureau, dit-elle sans vraiment penser à ce qu'elle disait, parce qu'il était exclu qu'elle y retournât dans cet état... D'autant qu'elle ne se sentait pas le courage d'affronter ses collègues, surtout sa rivale, Agatha, qui lui ferait sans doute subir son triomphalisme ou tenterait hypocritement de la consoler.

Elle avait plutôt envie de rentrer chez elle, de prendre un long bain chaud, de panser ses blessures.

D'oublier.

— Mais vous ne pouvez pas retourner au travail ainsi... protesta le millionnaire en désignant poliment ses vêtements. Venez, nous allons trouver quelque chose à vous mettre sur le dos.

— Vous êtes bien gentil, mais vous ne me devez rien, objecta la jeune femme. Je n'ai fait que mon devoir de citoyenne.

— Et moi, c'est mon devoir de réparer le préjudice que ma distraction vous a causé... J'insiste, ajouta-t-il de sa voix qui faisait très jeune, qui était pleine de lumière et de joie, et non pas éraillée et éteinte, comme on aurait pu s'y attendre d'un homme de son âge.

Elle hésita, le considéra. Il était excentrique certes, et elle ne le connaissait ni d'Ève ni d'Adam, mais une bonté, un calme, une sorte de noblesse irradiaient de lui, comme le parfum d'une rose, et ne pouvaient mentir. Alors elle céda : elle pouvait lui faire confiance, même si, vivant à New York depuis des années, elle avait pris pour règle de se méfier des étrangers derrière lesquels pouvait toujours se cacher un maniaque aux allures sympathiques.

— Bon, si vous insistez, consentit-elle enfin.

Il la prit par le bras, l'entraîna et aperçut tout de suite la vitrine de la boutique dont elle était ressortie avec déception quelques minutes plus tôt.

— Tenez, dit-il, regardez ce tailleur, c'est tout à fait votre genre, dit-il en désignant le vêtement que Michèle n'avait pu se permettre, même s'il était soldé à demi-prix.

— C'est vrai, admit la jeune femme, qui s'étonnait de cette coïncidence, qu'elle ne confia pourtant pas au millionnaire.

Mais elle pensa : ce doit être le vieux sou porte-bonheur du petit Pedro. Peut-être le vent tournait-il enfin, alors qu'elle n'espérait plus rien, alors qu'elle venait de connaître la plus grande déception de sa vie, alors qu'elle venait de passer à un cheveu de mourir... Mais peut-être était-ce de nouveau sa naïveté qui la faisait rêver, comme elle l'avait fait rêver depuis longtemps, depuis trop longtemps...

Peut-être, finalement, ce tailleur lui était-il destiné même si elle n'avait pas les moyens de se l'offrir.

— Entrons vite, suggéra le millionnaire qui pour un homme de son âge marchait d'un très bon pas.

Lorsqu'elle vit la jeune femme pénétrer dans la boutique, la vendeuse qui l'avait servie la reconnut et parut surprise. Son tailleur était en loques, elle avait un pied nu et tenait dans une main un soulier, dans l'autre un sac démantibulé. Pourquoi revenait-elle dans la boutique, au surplus avec ce vieillard curieusement attifé, avec son grand manteau de fourrure noir, ce collier d'or un peu tapageur qui était sans doute faux et une couronne dans les mains ?

L'air fermé, la lippe contrariée, elle s'avança d'un pas vif vers ce couple bancal. Le millionnaire, qui décidément paraissait doué de double vue, fouilla rapidement dans ses poches et, au moment où elle se plantait devant lui et la jeune femme, il ouvrit comme un éventail une imposante liasse de billets de mille dollars, vingt-cinq à la vérité, qui constituaient son argent de poche. Et il demanda, de l'air le plus sérieux du monde :

— Est-ce que vous acceptez l'argent comptant ?

— Euh, oui, bien entendu, bafouilla-t-elle, comprenant que le vieil homme, malgré son excentricité, était sûrement fort riche et qu'elle avait failli commettre un impair.

La jeune femme se faisait des remarques similaires. Elle était maintenant tout à fait certaine que le vieil homme était riche. Un chauffeur, des milliers de dollars dans ses poches : l'équation était facile à établir.

— Qu'est-ce que... qu'est-ce que je peux faire pour vous ? dit la vendeuse, encore rouge d'embarras.

— Je voudrais voir ce tailleur... dit la jeune femme.

— Celui que vous avez regardé tout à l'heure ?

Sans le savoir, elle trahissait la jeune femme, qui regarda avec un petit air coupable le millionnaire qui avait remis l'argent dans sa poche. Ce dernier esquissa un sourire, tourna avec amusement une paume vers le plafond : quelle coïncidence !

— Il vous va comme un gant, décréta le millionnaire en voyant la jeune femme sortir de la salle d'essayage, serrée dans le tailleur neuf.

La vendeuse, que la vue de l'argent avait rendue mielleuse à souhait, surenchérit. Vraiment, le tailleur était parfait ! La jeune femme aussi était enchantée par le reflet que lui renvoyait la glace murale. Mais elle pensa : c'est trop beau pour être vrai, lorsqu'il connaîtra le prix de ce vêtement, il se défilera. Il avait beau être riche, elle était une pure étrangère pour lui et il ne lui devait rien.

Mais il l'étonna de nouveau et décréta simplement, sans prendre la peine de demander le prix :

— D'accord, nous le prenons.

Puis en quelques minutes, ce fut le tour d'un chemisier, d'une nouvelle paire d'escarpins, d'un sac, d'une paire de bas de nylon, chaque fois sans se soucier du prix, en suivant simplement cette consigne du millionnaire de ne choisir que ce qui lui plaisait vraiment.

À la caisse, la jeune femme, habillée de neuf des pieds à la tête, était pourtant nerveuse. Le millionnaire se rebifferait peut-être lorsqu'il verrait ce que son bel élan de générosité allait lui coûter. Mais lorsque la vendeuse décréta qu'il y en avait pour deux mille cinq cent trente dollars et treize sous, le millionnaire demeura imperturbable et jeta sur le comptoir trois billets de mille dollars comme s'il s'était agi de billets de dix dollars.

Le vieil homme était sérieux : il lui achetait vraiment tous ces vêtements. Excitée, reconnaissante, la jeune femme eut un mouvement spontané et lui appliqua un gros baiser sur chaque joue, qui lui laissa des traces de rouge à lèvres, qu'elle fut trop gênée pour essuyer ou même pour lui signaler. Le vieil homme, qui ne s'attendait pas à cette démonstration d'affection, esquissa un sourire embarrassé.

Ils allaient tous deux sortir lorsque la vendeuse, qui tenait deux sacs au-dessus de son comptoir, rappela la jeune femme :

— Vos vieux vêtements...

— Vous pouvez les garder.

Elle avait déjà transféré le contenu de son ancien sac dans son nouveau sac, le tailleur était déchiré, un de ses souliers complètement tordu... Mais elle se ravisa, revint vers le comptoir, fouilla dans la poche de son vieux tailleur et en tira l'enveloppe contenant le sou noir que lui avait donné Pedro : elle le glissa dans la poche de son nouveau tailleur et quitta la boutique dans un état d'exaltation qu'elle n'avait pas connu depuis des années.

— Allons prendre une bouchée, je meurs de faim, proposa le millionnaire à la sortie de la boutique.

Comment refuser l'invitation d'un homme qui venait de se montrer aussi généreux, de flamber pour elle une petite fortune ? Et puis elle avait faim, n'ayant pour ainsi dire pas mangé la veille – ces mets chinois étaient insipides ! – ni au petit déjeuner, l'estomac trop noué par le démon de la nervosité.

— Si vous voulez, accepta la jeune femme.

Le millionnaire héla un taxi et dit au chauffeur :

— Le Plaza.

La jeune femme n'était jamais allée au Plaza, et elle fut tout excitée d'y découvrir un de ses restaurants, *The Palms Court*, où l'on servait essentiellement des petits déjeuners et le lunch. Dans un décor où l'or et le blanc se conjuguaient pour créer un climat d'élégante richesse, une clientèle un peu bigarrée se pressait, composée d'hommes d'affaires, de touristes, de vieilles New-Yorkaises, habituées à venir y déguster un cappuccino ou une pâtisserie fine, et d'occasionnelles stars de cinéma qui aimaient le charme désuet de cet hôtel légendaire... Comme c'était Noël, l'hôtel avait érigé dans un coin du restaurant un beau sapin orné de guirlandes et de boules de tissu jaune et or, comme le reste du décor.

Le millionnaire avait posé sa couronne sur la table, ce qui ne manquait pas d'attirer les regards intrigués de quelques clients qui le prenaient pour un roi, – ou pour un fou : New York était New York! – et, devant une bouteille de champagne qu'il avait commandée tout naturellement sans questionner la jeune femme, comme elle aurait commandé une bière ou un café, il lui demanda ce qu'elle faisait dans la vie :

— Je travaille chez Davon Press. Je suis adjointe à l'éditeur.

Elle le disait sans grande fierté, avec honte presque, parce que tout à coup elle se rappelait le cuisant échec de la matinée, elle se rappelait qu'elle n'était pas devenue éditrice comme elle en avait rêvé, qu'elle était restée simple adjointe, avec le même petit salaire, les mêmes petites responsabilités, les mêmes monceaux de tâches ennuyeuses. Elle s'assombrit tout à coup, même si elle buvait du champagne, dont elle raffolait, et pas n'importe lequel, du Cristal, qu'elle connaissait seulement de nom et n'avait jamais pu se permettre. Ce n'était certes pas son mari qui lui aurait offert une si extravagante bouteille, même pour leur anniversaire de mariage qu'il avait célébré cette année-là comme les années précédentes, sans grand éclat parce que, bien entendu, il n'avait pas les moyens!

— Oh! vous travaillez dans l'édition, dit le vieil homme, ce doit être vraiment fascinant. Fabriquer des livres, ajouta-t-il sur un ton rêveur, des livres qui sont comme des hôtels où on rencontre les plus grands esprits du monde.

— Nous publions surtout des auteurs contemporains, précisa la jeune femme avec un humour qui dérida le vieil homme.

Lorsque son rire se fut apaisé, un rire qui avait mis des larmes involontaires et un éclat encore plus brillant dans ses yeux bleus, le vieil homme ajouta :

— Vous avez de l'esprit, dit-il, je suis sûr que vous réussirez.

— Je ne veux pas vous contredire, vous avez été si aimable avec moi, mais je crois que vous vous trompez...

— Qu'est-ce que vous voulez dire ?

— J'ai cru longtemps que je réussirais, mais ce matin il s'est passé quelque chose qui me fait penser que... enfin, je ne veux pas vous raconter ma vie... Nos ennuis n'intéressent personne d'autre que nous...

— Au contraire, vous m'intéressez... J'ai rencontré dans ma vie des milliers de gens et je n'en connais pas beaucoup qui auraient eu le courage de faire ce que vous avez fait, vous jeter dans la rue, au risque de votre vie...

— Ma vie, dit-elle avec un soupir de dépit, pour ce qu'elle vaut...

— Pourquoi dites-vous ça ? demanda le millionnaire non sans un certain étonnement. Vous êtes jeune, vous avez de l'esprit, vous avez tout pour réussir...

— Ça ne doit pas être le cas parce que je ne réussis pas...

— Vous n'aimez pas travailler dans l'édition ?

— J'adore ça au contraire, j'en mange, c'est ma passion.

— Alors ?

— Je suis l'adjointe de l'éditeur, et depuis quelque temps, à la maison d'édition, un poste d'éditeur s'était ouvert, et j'étais certaine de l'obtenir.

— Et vous ne l'avez pas obtenu.

— Non, j'ai été trahie.

— Trahie ?

— Oui, j'avais des appuis, enfin je croyais en avoir. Ma patronne devait soutenir ma candidature. J'avais également confiance d'avoir l'appui d'un des vice-présidents très influents de la maison d'édition, qui me tournait autour et avec qui j'aurais peut-être dû...

Elle allait dire « coucher » mais n'osa pas. Elle ne connaissait pas cet homme avec qui elle était attablée depuis quelques minutes et elle ne voulait pas entrer dans de tels détails qu'elle trouvait d'ailleurs sordides, parce que jamais elle n'aurait accepté de coucher avec Parker pour obtenir une promotion, même si elle n'avait pas été mariée. C'était contre ses principes, des principes qui ne l'avaient peut-être pas conduite au succès escompté mais qui étaient quand même les seuls principes qu'elle avait...

— Je pense que vous avez fait une erreur.

— Une erreur ?

— Oui, une erreur que la plupart des gens font, mais dont ils ne se rendent jamais compte.

3

«Je n'attends rien de personne...»

— Vous m'intriguez, admit la jeune femme.

Elle avait d'abord pensé qu'il lui reprocherait de ne pas avoir cédé aux avances de Parker puis s'était ravisée : il y avait trop de noblesse dans cet homme pour qu'il lui fît un reproche aussi cynique.

— Un jour, dit le millionnaire, un disciple dit à son maître : « Maître, ce disciple vous a promis de s'amender et ne l'a pas fait. Tel autre devait vous apporter un document que vous lui demandiez depuis des semaines et ne s'est même pas présenté, enfin tel autre devait vous rembourser une somme importante et n'a même pas daigné vous prévenir qu'il raterait son rendez-vous. Et devant autant de mauvaises nouvelles, devant autant de contrariétés et de déceptions, vous êtes aussi serein que si tout s'était passé comme prévu. Je ne comprends pas. Expliquez-moi, je vous prie, éclairez ma pauvre lanterne. » Et le maître lui répondit : « C'est simple : je n'attends rien de personne. »

— Mais c'est... c'est égoïste, il me semble. Cet homme... enfin... je veux dire ce maître se foutait de tout le monde. Il devait vivre dans une caverne, complètement replié sur lui-même. Moi, je vis à New York...

— Il était solitaire, il est vrai, comme le sont tous les êtres qui ont retrouvé leur source et vivent en paix avec eux-mêmes, mais c'était l'homme le plus généreux de la terre. Il n'y avait en lui aucun égoïsme, aucun cynisme, seulement de la compréhension, seulement de la compassion. Il était si plein de sa gloire intérieure, si plein d'amour pour tous les êtres, pour toutes les choses, que la coupe de son âme ne pouvait que se déverser vers les autres : aussi n'attendait-il rien de personne. Pensez au soleil : demande-t-il aux nuages, demande-t-il aux hommes, aux animaux, aux choses qu'il réchauffe de ses rayons de le payer en retour? Non, il se contente de déverser son abondante, sa constante lumière. Vous aussi, vous pouvez devenir un soleil, pour vous et pour les autres. Il vous suffit de réaliser votre vraie nature. Alors vos attentes envers les autres diminueront, puis deviendront nulles. Et alors ce seront les autres qui viendront à vous, qui seront attirés par vous comme par le plus puissant des aimants. Ce sera toujours une fête en votre présence, vous répandrez la joie autour de vous. Car vous n'attendrez plus rien, mais vous donnerez tout. Malheureusement la plupart des gens font exactement le contraire. Ils vont de par le monde comme de véritables mendiants, la main constamment tendue, la main constamment vide... Ils s'attendent à ce que les autres les comblent et les taxent d'égoïsme parce qu'ils ne pensent pas exclusivement à eux. Rappelez-vous le célèbre discours de Kennedy qui exhortait ses concitoyens : « Ne vous demandez pas ce que votre pays peut faire pour vous, mais ce que vous pouvez faire pour votre pays. » Moi, je dis : ne vous demandez pas ce que les autres peuvent faire pour vous, mais ce que vous pouvez faire pour vous-même. Comme le disait le sage Bouddha : « Soyez votre propre refuge : qui d'autre peut l'être? »

Car c'est courir à sa perte, c'est se condamner à être malheureux que de mettre son bonheur dans les mains des autres : elles sont déjà bien trop pleines de leurs soucis, de leurs chagrins, pour pouvoir accueillir vos espoirs.

4

« Tout arrive en accord avec la volonté de Dieu »

— Ces principes sont bien beaux, et sont probablement vrais, mais comme je vous dis, je ne vis pas dans une caverne ou au sommet d'une montagne, je vis à New York, je travaille dans une maison d'édition, et j'ai toujours entendu dire, en tout cas je l'ai lu dans bien des livres, qu'on ne peut pas réussir seul, qu'on a besoin des autres pour réussir, qu'il faut avoir un *network*.

— Si vous avez un *network*, ayez un *network* avec le grand patron.

— Un *network* avec la grand patron, j'aimerais bien, mais monsieur Davon est inaccessible.

— Non, je ne parle pas de votre patron à la maison d'édition, je parle du grand patron : Dieu.

— Dieu ? Mais comment puis-je avoir un *network* avec Dieu ?

— Simplement en considérant qu'il est votre patron, votre seul patron, qu'il voit à tout, et que d'ailleurs il vous envoie plus souvent que vous ne croyez toutes sortes de mémos, pour vous rappeler à l'ordre ou pour vous mettre sur la bonne piste, mais simplement vous n'êtes pas assez attentive, vous ne voyez pas les signes qu'il vous envoie.

— Dieu envoie des mémos ?

— Oui. Ce peut être, lorsque vous êtes angoissée, que vous cherchez la solution d'un problème, un coup de fil que vous recevez d'un ami à qui vous n'avez pas parlé depuis des années et qui vous dit exactement ce que vous avez besoin d'entendre. Ce peut être un livre que vous ouvrez au hasard et qui vous donne la réponse que vous cherchiez en vain depuis des jours. Ou encore ce peut être un rêve que vous faites, mais que, sur le coup, vous ne comprenez pas ou ne voulez pas comprendre, parce que vous vous refusez l'évidence. Oui, c'est ainsi que Dieu vous envoie ses mémos, mais il vous laisse libre, il ne veut pas vous forcer la main. Et souvent il ne vous donne pas exactement ce que vous vouliez, et il vous donne parfois même exactement le contraire de ce que vous croyiez être bien pour vous. Ce ne serait pas un problème si vous vouliez pour vous ce que Dieu veut pour vous. Mais il faut du temps pour aboutir à cette humilité, qui est la fin des soucis et le début du contentement...

Une brève pause, et le millionnaire poursuivait :

— Acceptez avec égalité d'humeur, avec ouverture d'esprit, avec reconnaissance ce que la Vie vous envoie, même si ce qu'elle vous envoie est différent de ce que vous aviez demandé, de ce que vous auriez souhaité. Parce que tout arrive en accord avec la volonté de Dieu. Alors si vous mettez Dieu à la tête de votre conseil d'administration personnel, même s'il est le seul membre de votre *network*, vous ne pouvez pas vous tromper, et vous n'avez pas vraiment besoin des autres. Il est vrai que, comme vous dites si bien, on ne réussit jamais seul. Mais, en vous remettant à la volonté de Dieu, vous n'attendez plus rien de personne. Chaque événement de votre vie se transforme en mandat nouveau et souvent inattendu que vous confie votre grand patron. Alors tout devient intéressant, chaque circonstance se modifie en enseignement, et même, rien désormais ne vous afflige, tout vous amuse. En vous soumettant avec humilité à la volonté du grand patron, automatiquement vous mettez en action dans votre vie des forces secrètes dont la puissance vous étonnera. Automatiquement, comme par miracle, et c'est de fait le plus grand miracle de l'esprit, vous serez délivrée de tous vos soucis, de toutes vos attentes qui sont souvent stériles et vous considérerez que tout ce qui vous arrive vous arrive forcément pour le mieux puisque c'est la volonté de Dieu. Et pour cette même raison, vous considérerez alors que vous êtes toujours à l'endroit exact où vous devez vous trouver pour pouvoir évoluer, et acquérir les vertus qui vous conduiront à la perfection et au bonheur qui en est la conséquence obligée. Car il est impossible de vivre heureux sans être sage et vertueux, ni d'être sage et vertueux sans être heureux.

5

Où la jeune femme découvre le sens secret de l'échec

Le vieil homme, qui n'avait pas retiré son manteau de fourrure noir ni son grand collier doré, et pourtant n'avait nullement l'air ridicule, marqua une pause et fit un geste en direction du garçon qui s'empressa d'accourir.

— Un Coke Diète, avec citron, s'il vous plaît, demanda-t-il.

— Un... ? Le champagne n'est pas à votre goût ? s'enquit avec étonnement le garçon qui avait observé que son excentrique client y avait à peine goûté.

— Oui, oui, il est parfait. J'ai simplement envie d'un Coke Diète avec citron.

— Très bien monsieur, dit le garçon en s'inclinant.

Lorsqu'il se fut retiré, le millionnaire confia à la jeune femme :

— Chacun a ses faiblesses. Il faut que je boive un Coke Diète tous les jours. Et c'est à...

Il consulta sa montre, poursuivit :

— C'est à une heure trente-cinq que j'ai eu envie de prendre ma dose quotidienne de poison...

Elle sourit. Décidément, malgré son excentricité, le vieil homme était attachant. Et en tout cas sans prétention puisqu'il préférait une vulgaire boisson gazeuse – avec quand même du citron ! – au meilleur champagne du monde.

— J'ai connu dans ma vie une foule de gens, j'ai possédé des dizaines d'entreprises, j'ai lancé des centaines de projets, qui n'ont pas tous réussi bien entendu parce que tout le monde – même le plus grand génie – fait des erreurs. Souvent j'ai été révolté lorsque les choses n'allaient pas aussi vite ou aussi bien que je le voulais. Et il m'a fallu beaucoup de temps, oui, beaucoup de temps pour comprendre que les échecs que je subissais n'étaient en général que provisoires, que les affaires que je ne concluais pas me permettraient d'en conclure de plus brillantes, de plus lucratives, que l'associé que je perdais n'était pas le meilleur associé au fond, qu'il avait pour ainsi dire fait son temps et que donc il était bien, il était nécessaire même, malgré la déchirure du moment, que nos chemins se séparent, parce que son départ me donnerait l'occasion de rencontrer ce nouvel associé avec qui je pourrais aller plus loin, avec qui je pourrais aller plus haut, avec qui je pourrais connaître des réussites encore plus spectaculaires... Il m'a fallu beaucoup de temps pour acquérir cette compréhension, parce que, sur le coup, j'étais contrarié, malheureux, tout comme vous. Je ne comprenais pas la profonde sagesse, la profonde perfection de ce qui m'arrivait. Puis un jour, je me suis rendu compte qu'avec le temps je finissais toujours par comprendre la raison de ce qui m'était arrivé, et je comprenais que c'était bien et même que c'était beau : le grand architecte en haut savait ce qu'il faisait; simplement, sur le coup, je n'avais pas compris ses plans, qui sont en général plus complexes et plus brillants qu'on ne peut imaginer. J'étais déçu, au bord des larmes même, parce que je venais de rater l'achat d'un immeuble que je trouvais extraordinaire... J'avais passé des semaines à travailler sur le coup, mais je m'étais fait damer le pion par un rival qui avait des méthodes douteuses, et j'étais révolté, je ne comprenais pas... Et tout à coup, un déclic s'est produit en moi, une sorte d'illumination, je me rappelle d'ailleurs, c'est une coïncidence extraordinaire, j'étais ici même au Plaza... Oui, tout à coup, je me suis dit : « Tu as bien travaillé, tu as fait tout ce qui était humainement en ton pouvoir pour acquérir cet immeuble, et la transaction a échoué au dernier moment. Il doit y avoir une raison. Et comme tu ne fais jamais que des choses justes, qui sont en accord avec ta conscience, avec tes principes, il doit y avoir en cette affaire qui a échoué un vice que tu ne connais pas, une imperfection : cette transaction n'était pas faite pour s'accorder avec ton idéal et ton harmonie intérieure. » Et je me suis dit surtout : « Dans le passé, chaque fois que tu as raté une affaire, avec le temps tu as fini par en rire, et en général tu t'en es même félicité et tu as compris que tu avais évité une erreur, que, si tu avais conclu cette affaire comme tu le désirais pourtant si ardemment sur le coup, tu n'aurais pas pu conclure une affaire dix fois plus lucrative, dix fois plus intéressante et surtout dix fois plus en accord avec ton idéal véritable, avec ta mission sur terre. » Oui, j'ai alors compris que mes larmes, aussi sincères fussent-elles, avaient été inutiles. Aussi je me suis dit : « Dans le passé, tu as toujours attendu des semaines, des mois, avant de rire d'un échec. Cette fois-ci, pourquoi ne pas monter dans la machine à voyager dans le temps du bonheur, pourquoi ne pas faire une grimace au destin, pourquoi attendre des semaines, des mois avant de rire ? Pourquoi ne pas rire tout de suite de ton échec même si tu ne le comprends pas encore, pourquoi ne pas sauter le chapitre malheureux, que tu n'es pas vraiment obligé de lire si tu décides de ne pas le lire ? » Et je me suis mis à rire, tout seul, et autour de moi tout le monde pensait que j'étais devenu fou, mais pour moi c'était le commencement de la sagesse, parce que la sagesse n'est pas triste, elle est souriante. Et alors j'ai constaté quelque chose de vraiment étrange, de vraiment mystérieux : on dirait que le rire, je veux dire le rire sincère, le rire qui vient de l'âme, pas le rire hypocrite du désillusionné qui fait semblant de se moquer de son échec, oui, on dirait que le rire chasse l'échec, aussi sûrement que le soleil chasse les ténèbres, que le chat chasse les souris. On dirait que l'échec est un démon qui ne peut supporter que la compagnie des gens tristes qui se complaisent dans leurs malheurs. Si puissant qu'il soit, l'échec est un monstre orgueilleux qui ne peut endurer la légèreté de nos moqueries. De même qu'un roi n'est pas un roi pour un enfant qui n'en connaît pas l'importance, l'échec n'a d'importance que celle qu'on lui accorde, en général par ignorance, et donc ne peut s'attacher qu'à ceux qui n'ont pas su le démasquer. Et d'ailleurs, quelques jours à peine après cette découverte, j'ai lu dans les journaux que j'avais eu bien raison de rire tout de suite de mon échec immobilier.

— Dans les journaux ? s'étonna la jeune femme.

— Oui, parce que j'y ai lu que mon rival que je croyais heureux avait fait des découvertes pas très sympathiques dans ce fameux immeuble, que la moitié des baux avaient été forgés, en un mot qu'il avait été floué et que, comme on dit, j'avais été chanceux dans ce que je croyais être ma malchance.

Le garçon arriva alors avec le Coke Diète, et le vieil homme en prit tout de suite une gorgée qui parut le ravir autant que le champagne ravissait la jeune femme. Elle attaquait d'ailleurs sa troisième flûte et commençait à en ressentir les effets, qu'elle ne trouvait pas désagréables et qui lui faisaient un peu oublier sa déception de la matinée.

— Toutes les circonstances de votre vie, reprit le millionnaire, sont exactement et uniquement celles qui vous permettent de vous parfaire même si elles ne semblent pas idéales, même si elles vous semblent contraires, difficiles, injustes.

La jeune femme paraissait sceptique – ou ne semblait pas avoir tout à fait compris –, aussi le vieil homme ajouta-t-il :

— Ce bloc de marbre dégrossi que Rodin martelait de sa main robuste et géniale, s'il eût pu parler, que croyez-vous qu'il eût dit ?

— Que son sort était injuste, répondit la jeune femme qui maintenant semblait comprendre, peut-être parce qu'une image vaut mille mots.

— Oui, et pourtant, sans cette souffrance, sans les coups de marteau du sculpteur de génie, ce bloc de marbre serait resté un vulgaire bloc de marbre, il n'aurait jamais atteint sa perfection, il ne serait jamais devenu ce chef-d'œuvre qui ferait l'admiration des générations futures. Ainsi, chaque être est à la naissance un bloc informe, dont son âme est le patient sculpteur, un sculpteur qui a une idée précise de ce qu'il veut faire de ce bloc en cette vie, car la vie de chaque être, même d'un être en apparence fort ordinaire qui ne s'illustrera jamais dans aucun domaine, peut devenir un véritable chef-d'œuvre, peut devenir une parfaite réussite si cet être découvre, comprend, accepte et accomplit la mission pour laquelle il est venu sur terre en cette vie. Car nous venons sur terre, chacun, avec une mission précise, que nous décidons avant de naître et que nous oublions en général, ce qui est un des grands mystères de l'existence. Mais par la méditation, nous pouvons retrouver le sens et la nature de cette tâche. Pour certains ce travail de rappel, si je puis dire, est chose aisée. Très jeunes, ils ont une idée claire de ce qu'ils sont venus faire ici. Pour d'autres, la chose est plus malaisée. Mais qu'ils se rassurent : qu'ils en soient conscients ou non, ils sont toujours exactement à l'endroit où ils doivent se trouver et ils sont exactement entourés des compagnons de route qui sont mandatés, en général sans le savoir, pour les aider dans leur mandat, car nous ne croisons aucun être, je veux dire aucun être qui a de l'importance dans notre vie, par simple hasard : chaque être, si on y réfléchit, nous apprend quelque chose, nous permet d'avancer, en fait nous permet de grandir même s'il est mesquin, même s'il est injuste, même s'il est méchant. Ce qui ne veut pas dire, je m'empresse de l'ajouter, que nous devions rechercher ou tolérer indéfiniment la compagnie de ces êtres. Alors vous voyez, votre patronne vous est peut-être plus utile que vous ne croyez... Et vous avez peut-être plus de chance qu'elle, parce que pendant qu'elle use son crédit en se la coulant douce, vous, vous brûlez au feu du travail, qui est un des feux les plus efficaces, et peu à peu vous devenez cette statue qui un jour fera l'admiration des autres alors qu'elle demeure un bloc informe. Par conséquent dites-moi, qui de votre patronne ou de vous est la personne privilégiée ?

— De la manière dont vous décrivez la situation, c'est moi, bien entendu, je... c'est une vision des choses bien différente de celle que j'avais...

— C'est que votre âme ne voit pas les choses comme vous les voyez, et tant que, par la méditation constante, vous ne vous serez pas harmonisée avec votre âme, tant que vous ne verrez pas toutes choses à travers ses yeux, au lieu de les voir par les yeux de la société, qui ne voient rien, eh bien vous ne comprendrez pas ce qui vous arrive, et vous verrez les épreuves que vous recevez comme des malédictions, comme les injustes coups de couteau du destin, alors qu'elles sont les profonds et parfaits coups de marteau de ce sculpteur intérieur qui est continuellement à l'œuvre, parce que c'est vous, parce que c'est votre âme, parce que c'est Dieu.

Le vieil homme se tut, but une gorgée de son Coke Diète, que bien bizarrement il préférait au champagne, pendant que la jeune femme, émue, méditait ses paroles.

— Que vous le sachiez ou non, et c'est une grande consolation pour ceux qui n'ont pas encore découvert leur mission sur terre, vos contrariétés, vos déceptions, vos difficultés vous permettent de parfaire vos vertus.

— Mes vertus ?

— Oui, vos vertus. Imaginez que chaque être vient au monde avec une couronne, mais cette couronne n'est pas comme celle-ci devant nous.

Et il lui montrait sa couronne, qu'il avait posée sur la table à son arrivée et qui n'avait pas manqué d'attirer les regards.

— À votre naissance, votre couronne est sans pointes ou elle ne comporte que quelques pointes. Or chacune de ces pointes, reprit-il, représente une vertu. Lorsque, au bout de longues épreuves qui sont un peu comme les travaux d'Hercule, votre couronne possède finalement toutes ces pointes, vous pouvez enfin la porter, vous devenez roi, et le monde devient un jardin des délices, non pas, notez-le, c'est capital, parce qu'il a changé, mais parce que vous, oui, uniquement vous, avez changé, parce que vous avez acquis les vertus intérieures. Des vertus simples mais nécessaires comme la patience, la persévérance, l'honnêteté et l'humilité. Des vertus belles comme l'enthousiasme, la confiance, la justice, la foi en la vie. Des vertus nobles comme le discernement, la pureté et le détachement. Et surtout, surtout, l'amour, l'amour de vous-même d'abord, qui fait exploser en vous l'amour de la vie, l'amour de tout ce que vous faites. Puis l'amour de tous les êtres, que désormais vous voulez constamment aider et servir, ce qui est le couronnement de toutes les autres vertus et fait vraiment de vous un roi, car seul celui qui sert tous les autres est un roi.

À l'entrée du restaurant une famille venait d'arriver, à la vérité une mère, avec trois enfants assez turbulents dont le plus jeune échappa à sa surveillance. Il avait aperçu le vieil homme et surtout sa couronne et, intrigué, s'était précipité vers sa table. Il devait avoir au plus cinq ans et il était vraiment mignon, avec ses cheveux blonds bouclés et ses grands yeux bleus.

— Est-ce que vous êtes un roi ? demanda-t-il.

— Qu'est-ce que tu en penses ?

— Si vous avez une couronne, je pense que vous êtes un roi.

— Bien raisonné.

— Vous devez être riche, alors...

— Pourquoi dis-tu ça ?

— Parce que les rois sont riches...

— Il y en a encore qui sont riches en effet...

— Alors est-ce que vous pouvez me donner un dollar ?

— Seulement si tu me dis ce que tu comptes en faire.

— Je veux acheter un cadeau de Noël à ma maman parce que mon frère a brisé ma tirelire et je n'ai plus rien...

— Oh, je vois, je vois...

Le millionnaire fouilla sa poche, mais esquissa une moue contrariée.

— Je n'ai pas de billet d'un dollar...

— Oh, dit le gamin, ce n'est pas grave, je comprends...

Et il allait s'éloigner lorsque le millionnaire le retint :

— Mais attends, attends, je n'ai pas dit que je n'avais pas d'argent, je t'ai dit que je n'avais pas de billet d'un dollar...

Et alors que l'enfant n'était pas encore sûr de bien saisir la nuance, il lui remit un billet de cent dollars. L'enfant écarquilla les yeux.

— C'est un billet de dix dollars ?

— Euh non, dit le millionnaire, c'est un billet de cent dollars.

— Cent dollars ? Je ne compte pas jusque-là. Ça fait combien de billets d'un dollar ?

— Cent...

— Ah bon, dit le gamin qui ne comprenait toujours pas, confondu par ces mathématiques de grandes personnes, mais qui était tout de même heureux et courut rejoindre sa mère qui d'ailleurs l'avait repéré et l'appelait d'un geste contrarié.

La jeune femme et le vieillard regardèrent avec attendrissement le charmant gamin s'éloigner.

— Bien souvent, dit le millionnaire, on s'attriste de ce que la vie nous a refusé un dollar et on ne se rend pas compte que c'est qu'elle se prépare à nous en donner cent...

— Ça ne m'est pas souvent arrivé, protesta la jeune femme, qui pensa tout à coup qu'elle était peut-être plutôt destinée à recevoir des billets d'un dollar, même pas d'ailleurs, en réalité des sous noirs comme celui que le petit Pedro lui avait si gentiment offert.

— Vous êtes encore jeune, dit le millionnaire, vous êtes encore jeune...

— Oui, peut-être, peut-être...

Une pause, et elle ajoutait :

— Ce que vous avez dit au sujet de la statue et du sculpteur est formidable, du moins en théorie... Il reste que même si je deviens un chef-d'œuvre, j'en doute d'ailleurs parce qu'au rythme où je vieillis j'ai plus de chance de devenir une antiquité, je ne m'enrichis pas pour autant et je moisis dans un poste médiocre alors que ma patronne, elle, mène la belle vie même si elle est une parfaite incompétente. Non, franchement, quand je vois ma patronne prendre des lunchs de trois heures et passer des journées entières au téléphone avec une de ses amies psychiatres qui est supposée lui trouver un mari, ce qui, à mon avis, est un exploit qui confondrait même les scénaristes de *Mission : impossible*, alors moi, je suis révoltée. Parce que pendant ce temps je travaille comme une esclave et je me fais rappeler à l'ordre si je parle plus de cinq minutes à mon mari. Dieu a beau être juste et voir à tout, je pense qu'il a pris un petit congé ce matin, parce que sinon, cette promotion que je méritais, il me l'aurait accordée, il ne l'aurait pas donnée à cette petite Agatha qui est d'ailleurs si intrigante qu'elle devrait se lancer dans le roman policier comme la grande dame du crime. Non, je pense que le grand patron, comme vous dites, a eu une petite distraction ou qu'il a pris congé.

— Dieu ne prend jamais congé.

— Moi non plus, sauf que moi, en plus, j'ai un salaire de crève-la-faim et j'ai un appartement à payer... Lui, il n'a pas les mêmes dépenses que moi, il vit au ciel...

Le millionnaire laissa échapper un petit rire amusé. Décidément la jeune femme avait le sens de l'humour et de la repartie !

— Je pense que vous avez fait une autre erreur avec votre patronne, et que si vous ne l'aviez pas faite, les choses auraient pu être absolument différentes.

6

« L'être noble ne planifie que des choses nobles... »

— Une erreur ? ne put s'empêcher de demander la jeune femme, qui ne put pas davantage s'empêcher de se verser une autre flûte de champagne, devançant en cela le garçon qui n'osa retirer la bouteille de ses mains impatientes mais lui offrit tout de même de la replacer pour elle dans le seau à glace, lui laissant comprendre sans le lui dire qu'il préférait qu'à l'avenir elle ne fît pas son travail à sa place, car il risquait justement de la perdre, cette place.

— Oui, vous avez cherché la raison de vos malheurs dans votre patronne, au lieu de la chercher en vous.

— Mais ce n'est quand même pas ma faute si ma patronne est injuste, si elle a favorisé une de mes jeunes collègues qui n'avait aucune expérience alors qu'elle m'avait promis de soutenir ma candidature...

— Qu'est-ce que vous pensez de votre patronne ?

— Mais je ne comprends pas, je vous l'ai déjà dit assez clairement, il me semble. Je pense que c'est une parfaite incompétente, qu'elle ne possède pas les qualités nécessaires pour le poste qu'elle occupe.

— En somme, vous êtes d'accord ?

— D'accord avec qui ?

— Mais avec elle. Elle pense de vous exactement ce que vous pensez d'elle, et c'est sans doute pour cette raison qu'elle ne vous a pas soutenue. Vous avez trouvé en elle ce que vous y avez mis, tout aussi sûrement que vous trouverez dans votre compte en banque l'argent que vous y avez déposé.

Maintenant, la jeune femme commençait à comprendre.

— Vous connaissez les seiches, ces animaux aquatiques parents des pieuvres ? reprit le millionnaire.

— Je ne connais pas les seiches, mais je connais beaucoup de pieuvres... dit la jeune femme avec un humour qui fit sourire le millionnaire.

— Oui, eh bien lorsque cet animal aquatique prend la fuite, il jette derrière lui un nuage d'encre noire pour semer ses ennemis... Vous avez fait la même chose avec votre patronne et vous vous étonnez qu'elle ne vous ait pas favorisée. Vous avez oublié que le monde est un aquarium, mais il n'est pas assez vaste pour que l'encre que vous y jetez n'obscurcisse pas un jour ou l'autre l'eau même dans laquelle vous nagez...

— Tous ces principes sont beaux, et ils sont probablement vrais, objecta la jeune femme ; il reste que je ne peux être totalement responsable de l'attitude de ma patronne : chaque être a son libre arbitre, son passé. Elle existait avant que je la rencontre, et ce n'est pas moi qui l'ai rendue détestable, injuste et paresseuse...

— Peut-être, mais, comme l'a dit Bouddha, la haine jamais n'a apaisé la haine, c'est une loi ancienne... Il faut que vous traitiez votre patronne comme si elle était votre fille... La sagesse, c'est de ne pas rendre le mal pour le mal. Je ne dis pas nécessairement que vous deviez aller jusqu'à tendre la joue gauche à celui qui a frappé votre joue droite, mais simplement fermez-vous à son influence : le mal ne peut vous atteindre si vous ne le laissez pas entrer en vous. Devenez une forteresse, dont chacune de vos vertus est une pierre et dont l'amour est l'ultime rempart.

— Je suis bien prête à faire ce que vous me suggérez, mais le mal est fait. Il est trop tard. Je vous l'ai dit, le poste que je convoitais a été accordé à une autre, et le pire c'est qu'elle l'a obtenu en mentant et en intriguant et non pas en suivant vos beaux principes... Non, franchement, je ne sais pas, je suis sceptique, nous sommes à New York, au vingtième siècle, et le monde de l'édition est un monde féroce où les coups volent bas...

— Votre patronne et cette jeune collègue ont fait une erreur, une grave erreur. La personne noble ne planifie que des choses nobles. Si vous voulez que votre vie vous apporte le bonheur véritable, n'échafaudez que des plans qui soient nobles. Ne vous abaissez pas, ne perdez pas de temps à utiliser de basses tactiques. Sur le coup, il est vrai, elles peuvent paraître efficaces, mais elles permettent juste de construire des châteaux de sable que le vent de la vie aura tôt fait d'emporter : on récolte ce que l'on sème.

— En attendant, dit avec un certain dépit la jeune femme qui n'était toujours pas convaincue, je n'ai pas le poste...

— Soyez patiente, dit le millionnaire qui souriait avec douceur, soyez patiente. Si vous aimez ce que vous faites, si vous y mettez tout votre cœur, toute votre âme, si vous croyez en vous et en votre succès, vous êtes condamnée à la réussite.

Et il but une gorgée de Coke Diète pendant que la jeune femme terminait sa flûte de champagne. Le garçon cette fois-ci accourut pour qu'elle ne le devance pas à nouveau, mais la bouteille était déjà presque vide et il ne put même pas emplir à moitié son verre. Toute bonne chose a une fin !

Elle dégusta les dernières gouttes de ce véritable nectar, se faisant la réflexion que c'était la première et probablement la dernière fois qu'elle pouvait savourer une bouteille de ce prix, puis elle regarda l'heure. Le temps avait passé à une vitesse phénoménale. Il était déjà deux heures et demie. Et elle n'avait pas encore appelé au bureau pour dire qu'elle ne rentrait pas, ce qui risquait de lui causer des ennuis, surtout que les mauvaises langues s'en donnaient probablement déjà à cœur joie sur son compte...

— Bon, je crois que... je vais y aller maintenant, dit la jeune femme non sans un certain malaise car son hôte avait été avec elle généreux de son temps, de son argent.

— Je comprends, dit le vieil homme avec une courtoisie parfaite.

— Je voudrais vous remercier pour tout ce que vous avez fait pour moi, les jolis vêtements évidemment et aussi les bonnes paroles que vous avez dites, et qui me réchauffent un peu le cœur, et croyez-moi, j'en ai bien besoin ces jours-ci... Je ne suis pas sûre d'avoir tout compris, mais si je me fie à ce que vous me dites, je n'ai qu'à faire confiance au grand patron, et toutes les choses vont finir par s'arranger.

— Elles finissent toujours par s'arranger. Surtout pour une jeune personne qui possède votre valeur et votre courage.

La jeune femme rougit, baissa les paupières. Elle n'était pas habituée à recevoir des compliments : sa patronne ne lui adressait la parole que pour la critiquer, se taisait lorsqu'elle avait fait un bon coup. Les compliments de Parker, elle n'en était pas dupe, ils étaient intéressés, elle en avait d'ailleurs eu la preuve ce matin même puisqu'il avait refusé de la soutenir parce qu'elle avait refusé ses avances. Quant à son mari, mieux valait ne pas y penser...

— D'ailleurs, dit le millionnaire, je vous suis tellement reconnaissant d'avoir sauvé la vie de Pedro que j'estime ne pas vous avoir assez remerciée. Est-ce que je peux faire quelque chose pour vous?

— Si vous pouvez faire quelque chose?

— Oui, demandez-moi n'importe quoi... Vous devez bien avoir en tête un cadeau de Noël que vous avez toujours voulu avoir et que vous n'avez jamais reçu?

Elle eut un vertige, crut un instant rêver. Elle était assise au chic hôtel Plaza, en face d'un millionnaire qui la trouvait sympathique et voulait la remercier de son héroïsme en lui offrant pour cadeau de Noël le cadeau de son choix, n'importe quoi! Pourtant elle s'entendit dire :

— Oh, c'est gentil, mais franchement, je pense que vous avez été bien assez généreux avec moi.

— J'insiste. Vous pouvez me demander n'importe quoi. Est-ce que vous avez besoin d'argent?

Si elle avait besoin d'argent! Elle était criblée de dettes, elle aurait aimé renouveler sa garde-robe, changer de voiture, faire un voyage. Si elle avait besoin d'argent?

— Non, franchement, je vous remercie, vous avez été assez généreux avec moi...

Une hésitation puis elle ajouta, d'une voix songeuse :

— Ce que je voudrais vraiment, personne ne peut me le donner...

— Dites quand même ...

— Je me rends compte que je suis naïve, je fais trop confiance aux gens ; aussi ce que j'aimerais, c'est savoir ce que les gens pensent vraiment...

— Oh, dit le millionnaire, je vois, je vois...

7

Où la jeune femme reçoit un surprenant cadeau

Quelques jours plus tard, la veille de Noël, on sonna à la porte de la jeune femme qui, comme pour appeler un changement dans sa vie, avait rendu visite à son coiffeur et portait le cheveu beaucoup plus court, à la garçonne, ce qui la rajeunissait, aubaine inespérée compte tenu que ses récents déboires l'avaient aigrie.

Ce fut elle qui dut répondre : son mari avait encore le nez fourré dans son interminable thèse de doctorat à quelques heures à peine du réveillon !

Elle ouvrit la porte et vit un sympathique Noir, portant uniforme et casquette, qui tenait dans ses mains gantées une toute petite boîte joliment enrubannée.

— Un cadeau de la part du millionnaire, dit l'homme.

À ces mots, elle le reconnut : c'était Edgar, le chauffeur du millionnaire.

— Oh, je... vous le remercierez de ma part, dit-elle en prenant le cadeau.

— Bien sûr. Et Joyeux Noël ! ajouta-t-il en la saluant d'un coup de casquette.

— Joyeux Noël !

Edgar parti, la jeune femme examina le cadeau avec un mélange de curiosité et d'excitation. C'était une toute petite boîte, grande comme sa main. Sous le rouge ruban qui se détachait bien sur le papier doré, une enveloppe avait été glissée, que la jeune femme s'empressa de décacheter. Elle contenait non pas la traditionnelle carte de souhait de Noël mais un simple carton de visite du millionnaire, avec son adresse dans les Hamptons, à Long Island. Sous le dessin stylisé d'un château français, avec pour armoiries deux roses entrelacées, se trouvait la simple mention : *Du bureau du millionnaire.* D'une belle écriture parfaitement assurée, le vieil homme y avait écrit quelques mots, à l'encre noire :

« À une jeune femme pleine d'esprit. Joyeux Noël ! »

Elle serra précieusement le carton dans son sac à main neuf, qui était sur la console du vestibule : elle s'en servirait pour envoyer un mot de remerciement au généreux vieillard.

Elle esquissa un sourire. Elle avait souvent pensé à l'excentrique millionnaire, depuis leur rencontre de la semaine précédente, mais jamais elle n'avait cru qu'il lui redonnerait signe de vie. D'ailleurs comment avait-il fait pour trouver son adresse ? Peut-être tout simplement avait-il téléphoné à la maison d'édition... Enfin, peu importait...

Elle s'empressa de déballer le cadeau et découvrit, dans un écrin de velours bleu nuit qui venait de chez Tiffany, de magnifiques boucles d'oreilles rondes et dorées qui ressemblaient à des demi-sphères. Elle les essaya tout de suite, se regarda dans le miroir : elles lui allaient à ravir !

Son mari survint, l'air un peu contrarié.

— On a sonné à la porte ?

— Oui, ça va, j'ai répondu.

— C'était qui ?

— Le chauffeur du vieux monsieur qui m'a acheté le tailleur.

— Qu'est-ce qu'il est venu faire ici ?

— M'apporter un cadeau de la part de son patron.

— Ah bon, laissa tomber le mari, qui comme tout mari, même indifférent, n'aimait guère que sa femme reçoive un cadeau d'un autre homme, fût-il un respectable septuagénaire.

— Ce sont des boucles d'oreilles, qu'est-ce que tu en penses ? dit-elle en les effleurant pour être sûre qu'elle les avait bien mises et qu'elles ne tomberaient pas.

À son étonnement, la jeune femme entendit son mari dire qu'il s'en foutait complètement. Elle n'était pas sûre d'avoir bien compris :

— Hein ? Qu'est-ce que tu dis ?

— Moi ? Rien, je... Elles sont pas mal, un peu voyantes mais pas mal...

— Ah... Et qu'est-ce que tu penses de ma robe ?

Il l'examina, mais il lui sembla qu'au lieu de regarder sa robe, il regardait surtout ses hanches qui avaient un peu épaissi depuis quelque temps et qui, avec une ironie exaspérante, résistaient aux assauts successifs de tous ses régimes. Il faut dire que la robe qu'elle portait, un peu claire malgré ses motifs imprimés, et peut-être mal coupée pour elle, ne l'avantageait pas, la grossissait plutôt, justement aux hanches.

— Elle est bien. Très bien, dit-il sans grand enthousiasme.

— Tu es sûr ? insista-t-elle, et sentant qu'elle allait perdre une de ses boucles d'oreilles, elle s'empressa de l'ajuster.

Alors, curieusement, elle l'entendit répliquer :

— Je suis seulement sûr d'une chose, c'est que tu n'es plus aussi mince que lorsque nous nous sommes rencontrés...

Elle était étonnée. Il était peut-être dépourvu d'ambition, indifférent, distrait, surtout depuis un an, mais il n'avait pas l'habitude de lui dire des méchancetés, il était même toujours d'une parfaite politesse, ce qui l'agaçait parfois : il lui semblait qu'elle aurait fort bien pu tolérer l'occasionnelle impolitesse d'un homme plus passionné !

— Tu me trouves grosse ? demanda-t-elle.

— Mais non, mais non, lui assura-t-il, je ne vois pas où tu vas chercher ça.

Fatiguée, surmenée en fait et probablement au bord de la dépression, elle avait dû imaginer quelque chose. Elle n'insista pas et pourtant il lui sembla que son mari lui mentait, car il avait blêmi et il paraissait nerveux tout à coup.

Plus tard dans la soirée, au cours de la réception qu'elle donnait pour le réveillon de Noël, il lui sembla de nouveau entendre des choses que les gens n'avaient pas dites. Lorsque la nouvelle femme de son père arriva – sa mère était morte quelques années auparavant –, une femme de quarante ans, coiffeuse de métier, excessivement maquillée et moulée dans un manteau de faux léopard qui s'accordait parfaitement avec ses cheveux platine, elle s'empressa de la féliciter pour sa nouvelle coupe de cheveux, et la jeune femme, timide, toucha ses cheveux et son oreille, comme on fait souvent devant pareil compliment.

Et immédiatement, elle l'entendit penser :

« Je me demande bien comment on peut rater à ce point une coupe de cheveux aussi simple... Elle n'était déjà pas très féminine avec son autre coiffure, maintenant elle a absolument l'air d'un homme, je ne sais vraiment pas comment son mari peut faire... »

Et si elle disait : « C'est joli ce que tu portes, vraiment... », la jeune femme l'entendait penser :

« On dirait vraiment qu'elle s'habille dans des ventes-débarras, la petite dinde, et avec ça, ça snobe tout le monde parce que ça travaille dans une maison d'édition de mes fesses ! »

Quelques minutes plus tard, alors que la mère de son mari déballait le cadeau qu'elle lui avait offert, un joli vase qu'elle s'était donné beaucoup de peine à dénicher, elle entendit, juste après des remerciements extasiés, ces commentaires étonnants :

— Franchement, pas encore un vase, comme l'année dernière ! Est-ce qu'elle croit que je les collectionne ? Si encore ils étaient beaux, mais ils sont bons pour le musée des horreurs !

— Vous... vous ne l'aimez pas ? vérifia-t-elle, éberluée par ce qu'elle venait d'entendre.

— Mais oui, protesta sa belle-mère un peu ébranlée par sa question, comme si elle sentait que sa belle-fille avait percé les replis secrets de sa pensée, il est absolument magnifique, je... je l'avais justement remarqué chez Bloomingdale. C'est bien chez Bloomingdale que vous l'avez acheté, n'est-ce pas ?

— Oui, dit-elle, même si elle ne savait plus où elle l'avait finalement acheté puisqu'elle avait fait dix magasins au moins avant de le trouver.

Curieux tout de même ! Ces gens qui disaient des énormités puis s'en défendaient ! À moins que ce ne fût elle qui hallucinât... Oui, si elle était en train de devenir paranoïaque ? Dans son surmenage chronique, n'imaginait-elle pas des choses, comme on dit ?

Mais le reste de la soirée, plus rien ! Elle n'entendit aucune « voix », ne lut aucune des pensées inavouables de ses hôtes ou de son mari. Aussi, lorsqu'elle se mit au lit, aux petites heures du matin, après un réveillon qu'elle avait trouvé interminable et des cadeaux décevants de la part de son mari – il faisait des économies même aux grands événements ! –, elle pensa qu'elle avait rêvé, que c'était la fatigue...

Puis, les jours suivants, comme le phénomène ne se reproduisait pas, elle n'y pensa plus du tout.

Mais au début de janvier, alors qu'elle retournait au travail après des vacances trop brèves qui d'ailleurs n'en avaient pas vraiment été – elle avait dû se farcir trois ou quatre énormes romans ! – le « phénomène » se reproduisit.

Très élégante dans son nouveau tailleur, les oreilles joliment illuminées par ses boucles d'oreilles en or, arborant avec une certaine inquiétude sa nouvelle coupe de cheveux, elle s'apprêtait à sortir de l'ascenseur lorsqu'un collègue, qui ne l'avait pas remarquée jusque-là parce qu'il avait le nez plongé dans son journal du matin, la vit et la complimenta :

— Oh ! Michèle, c'est nouveau la coupe de cheveux ?

Il se tenait à sa droite, avait replié son journal qu'il glissait sous son bras, se préparant lui aussi à sortir de l'ascenseur.

— Euh oui, dit-elle timidement, en se tournant vers lui, souriante, et en effleurant ses cheveux en même temps que ses boucles d'oreilles.

— Bravo ! C'est vraiment très réussi.

Et alors elle entendit son voisin de gauche faire un commentaire étonnant :

— Si ma femme pouvait avoir de belles fesses rondes comme elle, au lieu de ses fesses plates et tombantes...

Surprise, elle se tourna et se rendit compte que le passager, un homme d'environ quarante-cinq ans, attaché au service du marketing, fixait son postérieur, l'œil rêveur. Il s'empressa de détourner la tête, esquissa un sourire embarrassé comme un gamin qu'on vient de surprendre en train de faire un mauvais coup.

À la manière dont la jeune femme l'observait, on aurait dit qu'elle avait lu dans ses pensées. À moins qu'elle n'eût surpris son regard un peu trop intéressé...

La porte de l'ascenseur s'ouvrit, et, embarrassé d'avoir été ainsi pris la main dans le sac, il s'empressa de sortir. Il était mince, maigre en fait, et la jeune femme ne put s'empêcher de laisser tomber cette remarque, malgré la présence d'autres passagers :

— Vous aussi, vous avez la fesse plate et tombante !

Il était si troublé qu'elle eût deviné avec précision ses pensées qu'il se tourna vers la jeune femme, sans arrêter de marcher, ne vit pas le cendrier sur pied à la sortie de l'ascenseur, le heurta, trébucha et s'affala de tout son long sur le plancher.

— Vous avez eu de bonnes vacances ? demanda la jeune femme en passant à côté de lui sans s'arrêter pendant que les autres passagers contenaient tant bien que mal leur hilarité : qui peut résister au spectacle d'une chute ?

Il ne répondit rien, encore éberlué, ne comprenant pas comment la jeune femme avait pu deviner la remarque qu'il s'était faite à lui-même. Il savait, pour être marié depuis vingt ans, que les femmes possèdent un sixième sens, et peuvent même à l'occasion s'avérer de véritables sorcières, comme sa femme qui, en plus, oui, avait la fesse tombante et indéridable, mais de là à deviner carrément vos pensées !

Quelques secondes plus tard, la jeune femme tomba sur Parker qui venait accueillir un auteur, assis dans le hall d'entrée. C'était un fort et beau jeune homme, à peine la vingtaine, qui arborait une très longue chevelure blonde, très années soixante, mais, en un paradoxe bien contemporain, portait un costume et une cravate. Sa précocité en faisait un des espoirs de sa génération.

— Oh, Michèle, content de vous revoir, dit Parker, d'une humeur particulièrement bonne. Vous avez passé de bonnes vacances ?

— Laborieuses.

— Notre métier n'est pas un métier, c'est une religion !

— Vous voulez dire un labyrinthe : une fois qu'on y est entré, on n'en sort plus !

— C'est un joli sujet de thèse.

— Ou de Thésée, dit non sans un certain humour le jeune auteur qui, comme bien des intellectuels de sa génération, était féru de mythologie et, avec l'aisance que sa beauté exceptionnelle lui conférait, se permettait de participer à la conversation sans avoir encore été présenté.

Michèle rit du bon mot tandis que Parker, peut-être plus complaisant, s'esclaffait véritablement, ce qui lui permettait de montrer ses dents si parfaites et de prouver que, malgré la pression de ses hautes fonctions, il conservait son sens de l'humour.

— Mais je ne vous ai pas encore présentés, se reprocha Parker dès qu'il eut repris son sérieux, avec une rapidité telle, d'ailleurs, que la jeune femme eut encore plus fort l'impression qu'il venait de jouer la comédie au jeune auteur. Michèle Roger, une de nos meilleures éditrices.

— Adjointe, précisa la jeune femme.

— Enfin oui, mais vous allez sûrement être appelé à travailler avec elle.

— Je le souhaite ardemment, dit le jeune auteur qui, en plus d'être très beau, était aussi très *flirt* et fit un baisemain à la jeune femme.

Il ne lui rendit pas tout de suite sa main, plongea son regard bleu dans ses yeux et la complimenta :

— C'est toujours un privilège de pouvoir travailler avec une personne aussi brillante que belle.

Gênée, la jeune femme, avec son tic habituel, replaçait ses cheveux nouvellement coupés, effleurant par la même occasion son oreille de sa main libre, et au même moment entendait une étonnante pensée de Parker.

« Toi, je vais t'avoir un jour, beauté ! »

Elle se tourna vers Parker qui, séducteur impénitent, n'en démordait décidément pas : or, oh ! surprise, il ne la regardait pas, mais contemplait plutôt le jeune prodige !

La jeune femme était ahurie. Le célèbre coureur de jupons aimait aussi les hommes, et s'il cherchait constamment à attirer de jeunes poulains dans son écurie, c'était peut-être pour en faire ses étalons !

Elle ne dit rien, mais trouva tout à coup la situation fort drôle, récupéra sa main et tourna les talons. Elle riait toute seule, et son rire se transforma bientôt en fou rire incontrôlable si bien que, pour ne pas se faire remarquer, elle poussa en vitesse la porte des toilettes.

Elle riait de sa découverte, elle riait d'elle-même. Elle réalisait que, probablement, Parker n'était qu'un pseudo-Casanova et ne faisait la cour aux femmes que pour donner le change et cacher ses inclinations véritables. Et c'était d'ailleurs sans doute pour cette raison qu'il n'avait pas d'enfants et qu'on ne le voyait pour ainsi dire jamais avec sa femme, une banquière très masculine qui, comme lui, avait peut-être des goûts particuliers qu'elle avait préféré dissimuler dans un milieu aussi conservateur que la finance. Leur union n'était peut-être qu'un simple échange de bons procédés ! La jeune femme se trouva ridicule : dire qu'elle s'était inquiétée qu'il voulût attenter à sa vertu en échange de son influence ! Ce qu'elle avait été bête ! Comme les apparences étaient trompeuses !

Elle se calmait petit à petit, vérifiait sa nouvelle coiffure dans la glace, ajustait ses boucles d'oreilles lorsqu'elle comprit ce qui venait de se passer, comment le « phénomène » se produisait.

Pour qu'elle pût lire dans les pensées, il fallait d'abord qu'elle portât les boucles d'oreilles que lui avait offertes le millionnaire. Mais il ne suffisait pas de les porter. Il fallait aussi qu'elle les touche, ou tout au moins qu'elle les effleure. C'est ce qui était arrivé, accidentellement, dans l'ascenseur, puis avec Parker et son jeune poulain. Et même, elle s'en souvenait maintenant avec une clarté hallucinante, ces deux conditions s'étaient trouvées réunies au réveillon de Noël, avec sa belle-mère et la nouvelle compagne de son père : chaque fois elle avait touché une de ses boucles juste avant de pouvoir lire dans les pensées de ses interlocuteurs. Ainsi, effleurer les boucles d'oreilles était le « Sésame, ouvre-toi! « qui lui permettait d'entrer dans la pensée secrète des êtres!

Ce ne pouvait pas être une coïncidence, elle en était sûre. Et c'était d'ailleurs pour cette raison que, pendant le reste des vacances de Noël, elle n'avait plus « entendu de voix »... Elle n'avait tout simplement pas porté les boucles d'oreilles, n'ayant pas eu d'occasion de le faire : son mari, éternel fauché, ou véritable éteignoir obsédé par sa thèse, refusait presque toujours de sortir!

Alors elle eut la chair de poule. Elle venait de se rappeler ce qu'elle avait demandé au millionnaire en récompense de son acte héroïque : la faculté de savoir ce que pensaient vraiment les gens. Cadeau impossible, avait-elle cru, et pourtant c'était exactement ce que le millionnaire était parvenu à lui offrir : de véritables boucles d'oreilles magiques! Mais comment avait-il fait? De quels étranges pouvoirs était-il doté? Était-il magicien? Était-il quelque Méphisto moderne?

Mais était-ce vraiment important de le savoir? Le plus important n'était-il pas de posséder ces boucles d'oreilles et de pouvoir s'en servir? Elle se sourit à elle-même dans la glace, entrevoyant les immenses possibilités que ce nouveau pouvoir lui conférait. Maintenant, personne ne pourrait plus lui mentir, personne ne pourrait plus abuser de sa naïveté!

Elle voulut tester tout de suite son nouveau pouvoir. Dans le corridor, en se dirigeant vers son bureau, elle croisa une collègue, qui s'informa d'elle :

— Tu as passé de bonnes vacances, Michèle?

— Oui, et toi?

— Excellentes. Seulement trop courtes.

Une pause puis :

— Pour la nomination que tu n'as pas eue, je voulais te dire, je trouve que c'est injuste... Je veux dire... Agatha est certainement une bonne personne, mais elle n'a pas d'expérience... Une autre décision brillante de la direction !

Michèle avait toujours soupçonné cette femme de ne pas être une de ses alliées. Elle toucha sa boucle d'oreilles et entendit une pensée tout autre :

« Ce n'est pas toi qui aurais dû avoir le poste, ni Agatha, mais moi ! Maintenant, non seulement j'ai un mari qui me trompe, mais je n'ai pas le poste qui aurait dû me revenir... »

— Comment va votre mari ? demanda à brûle-pourpoint Michèle en regardant sa collègue droit dans les yeux.

Celle-ci fut troublée, esquissa un sourire embarrassé : pourquoi la jeune femme lui parlait-elle de son mari alors qu'elle venait justement de penser à lui, à son infidélité, récemment découverte et que personne au bureau ne connaissait ?

— Bien, dit-elle, très bien, mais dites-moi, pourquoi me parlez-vous de lui ?

— Pour rien, pour rien. Gardez seulement un œil sur lui.

— Oui, je... bafouilla-t-elle.

Et elle repartit, incapable de terminer sa phrase, comme si quelque chose de mystérieux, de diabolique venait de se produire. La jeune femme la regarda s'éloigner avec un sourire amusé : les boucles d'oreilles fonctionnaient, et elle savait maintenant comment s'en servir ! Mais immédiatement après une pensée triste la visitait : cette collègue avait le droit de ne pas l'aimer, elle avait le droit de se moquer éperdument qu'elle n'eût pas obtenu sa promotion. Mais pourquoi perdre du temps à lui exprimer une sympathie qu'elle n'éprouvait pas, pourquoi ce mensonge gratuit, pourquoi cette hypocrisie ?

Peut-être cette collègue trouvait-elle du plaisir à mentir, à faire de faux compliments...

La jeune femme se dirigea alors vers son bureau, avec l'intention de tester Suzanne, sa secrétaire, qu'elle devait en fait partager avec sa patronne qui la monopolisait le plus clair du temps. C'était une jeune femme d'une vingtaine d'années, que Michèle trouvait un peu vulgaire avec ses robes moulantes et son maquillage criard, ce qui n'était pas le genre de la maison ni celui du monde de l'édition en général, mais comme elle était d'une efficacité irréprochable, on tolérait son extravagance, laquelle ne déplaisait d'ailleurs pas à nombre d'auteurs fort sérieux qui voyaient en elle un personnage haut en couleur. Entre les deux femmes, il n'y avait guère d'atomes crochus et les relations étaient souvent tendues.

Elle la trouva déjà plongée dans un dossier alors que la plupart des autres secrétaires se racontaient leurs vacances de Noël. Égale à elle-même, la jeune Suzanne était vêtue de manière très *sexy*, portant ce jour-là un pull moulant noir et une jupe de cuir fort courte.

— Bonjour. Tu as passé de bonnes vacances ?

— Oui, répliqua sa secrétaire, un peu sèchement et en relevant à peine la tête. Et vous ?

— Oui, pas mal.

Décidément, Suzanne n'était guère loquace. Mais après tout, elle n'était pas payée pour bavarder avec ses patrons mais bien pour travailler. Elle releva pourtant la tête, comme si elle regrettait d'avoir été aussi sèche avec sa patronne, qui avait la gentillesse de s'informer de ses vacances.

— Oh ! Vous avez une nouvelle coupe de cheveux ? C'est joli, vraiment très joli. Moi, je ne sais pas quoi faire avec les miens. Il faudra que vous me donniez le nom de votre coiffeur.

— Mais oui, je... aucun problème.

Et la jeune femme, qui flairait un mensonge, toucha discrètement sa boucle d'oreilles, et entendit tout de suite les pensées de sa secrétaire qui n'avait pas recommencé à travailler et la regardait avec un sourire empreint d'une certaine tristesse :

« Elle est raffinée, elle, et brillante en plus... Moi, je ne suis qu'une pauvre fille, j'ai juste mon corps pour plaire... Et en plus elle sait s'habiller, regarde-moi ce tailleur... Moi, je porte des vêtements à vingt dollars achetés au rabais... »

Surprise par cette révélation, la jeune femme éprouva une grande émotion, et ses yeux devinrent humides : elle découvrait subitement que non seulement sa secrétaire ne la méprisait pas mais qu'en réalité elle l'admirait ! Comme elle s'était méprise à son sujet ! Et comme elle avait été injuste avec elle !

— Bon, dit un peu sèchement la secrétaire, je ne peux plus vous parler maintenant, il faut que je travaille. Madame Simon ne m'a pas ratée en rentrant ce matin...

Et elle ajouta avec humour :

— Ça a dû lui manquer de ne pas avoir son esclave pendant une semaine...

Michèle rit, entra dans son bureau où une énorme pile de courrier l'attendait, comme c'est invariablement le cas après des vacances. Elle était bouleversée. Elle pensait encore à sa secrétaire, qu'elle avait si mal jugée. Elle s'en voulait, elle se promit qu'elle ferait un geste, qu'elle aurait une conversation avec Suzanne et qu'en tout cas elle changerait d'attitude à son endroit.

Pendant les jours qui suivirent, la jeune femme, excitée par sa découverte, porta constamment ses boucles d'oreilles, allant même jusqu'à dormir avec.

Son mari étant parti pour un voyage de trois jours à Boston, où il devait prononcer une conférence, elle en profita pour revoir des copines qu'elle ne voyait plus souvent. Mais elle revint de chaque visite très déçue : la plupart de ses amies n'étaient pas de vraies amies et avaient envers elle toutes sortes de pensées malveillantes. Et pourtant elles s'étaient toutes exclamées qu'elles étaient contentes de la retrouver, qu'elle leur avait manqué et que c'était dommage de ne pas se voir plus souvent...

Elle était surprise. Et déçue. Elle se rendait compte une fois de plus qu'elle était naïve, que l'amitié véritable était plus rare qu'elle ne l'avait cru, que peut-être elle n'existait pas.

La visite qu'elle rendit à son père lui réserva également une déception. Elle comprit en effet qu'il ne l'aimait pas autant qu'elle se l'était imaginé. Elle l'avait désappointé : il ne lui pardonnait pas de ne pas avoir suivi ses traces et d'être devenue fonctionnaire. Et puis la jeune femme découvrit également que son père n'avait pas eu beaucoup de chagrin lorsque, deux ans auparavant, sa mère avait été emportée par le cancer...

Voilà donc pourquoi son deuil n'avait pas duré un mois ! Voilà donc pourquoi il avait tout de suite refait sa vie avec cette coiffeuse quelconque !

Après de semblables découvertes intimes, la jeune femme brûlait de retrouver son mari, non pas tant parce qu'il lui avait manqué que pour utiliser sur lui son nouveau pouvoir : il y avait une foule de choses qu'elle voulait vérifier...

Comme quoi ?

Par exemple si elle lui plaisait encore...

S'il était vraiment sur le point de terminer sa thèse comme il lui en donnait constamment l'assurance...

Et aussi, bien entendu, s'il l'aimait encore, s'il était encore heureux avec elle, même si leur mariage, depuis un an, battait visiblement de l'aile...

Lorsqu'il rentra enfin à la maison, le jeudi soir, un peu plus tôt que prévu, elle était dans la chambre à coucher, assise à sa coiffeuse, achevant de retoucher son maquillage après un bon bain chaud, dans un petit déshabillé auquel, elle en était certaine, il ne résisterait pas. Comme elle n'attendait pas son mari avant une heure, elle n'avait pas pris soin de mettre ses boucles d'oreilles qu'elle avait posées devant elle sur la coiffeuse. Il lui fit un peu peur en entrant dans la chambre sans s'annoncer.

— Ah chéri, c'est toi ? Je t'attendais seulement à neuf heures...

— Oui, j'ai réussi à attraper un avion qui partait une heure plus tôt...

C'était flatteur. Il avait hâte de la retrouver. Il s'était sans doute ennuyé d'elle. Il posa sa valise sur le lit, s'approcha de sa femme, posa un baiser expéditif sur sa joue, puis entreprit de détacher sa cravate qui lui irritait le cou car il n'en avait pas l'habitude.

— Tu as fait bon voyage ? s'enquit-elle.

— Oh, comme ça... Boston, c'est bien mais ce n'est pas New York et au bout de vingt-quatre heures...

Elle entendit alors cette pensée surprenante :

« Si tu savais, j'ai fait le plus beau voyage de ma vie ! »

Et alors, elle eut une sorte de vision. Elle voyait son mari prendre l'avion pour Boston avec une très jeune femme, une ravissante blonde aux immenses yeux bleus, qui devait avoir à peine vingt ans et qui semblait en admiration devant lui, buvant ses paroles, riant de ses moindres plaisanteries. Elle voyait même son mari qui, attablé avec elle dans un charmant petit restaurant, devant une bonne bouteille de blanc, lui demandait : « Qu'est-ce que tu prends, Catherine ? »

Maintenant elle comprenait tout : l'indifférence de son mari depuis un an, le peu d'attention qu'il lui portait. S'il était toujours absent, c'était qu'il avait une autre vie, qu'il voyait quelqu'un d'autre. Ce qu'elle était bête ! Elle aurait dû s'en douter : un homme est un homme !

Pourtant, il lui fallait quand même vérifier : elle était si troublée depuis quelques jours qu'elle avait peut-être tout imaginé. Elle se tourna vers son mari et le dévisagea. Il parut surpris, un peu embarrassé même :

— Qu'est-ce qu'il y a ? demanda-t-il. Ça ne va pas ?

Un moment de silence, une ultime hésitation, et elle plongea :

— Tu n'es pas allé seul à Boston, n'est-ce pas ?

— Mais oui, je... je ne vois pas pourquoi tu me demandes ça.

— Parce qu'une certaine Catherine vient juste de téléphoner pour dire qu'elle croyait avoir rangé par erreur son soutien-gorge dans ta valise.

Le premier geste de son mari, qui le trahit, fut de faire un pas en direction de sa valise. Il se reprit aussitôt, mais il était trop tard. Il était tombé la tête la première dans le piège de sa femme. Il ne pouvait plus nier. Il pouvait seulement tenter de se justifier. Affolé, il protesta :

— Ce n'est pas ce que tu crois ! Oui, elle est venue avec moi à Boston, mais nous ne couchons pas ensemble. Elle est juste venue à titre d'assistante.

— C'est fascinant comme roman, réellement, tu as du talent. Passe à mon bureau demain matin, je te signe tout de suite un contrat avec une grosse avance. Ça va te permettre de payer de bonnes bouteilles de vin blanc à ta jeune assistante.

Elle se leva, se rhabilla en vitesse, prit dans sa garde-robe une valise qu'elle jeta sur son lit. Son mari était stupéfait. Comment sa femme pouvait-elle savoir tant de choses ? Comment avait-elle pu deviner pour le vin blanc ? Évidemment en général, c'était du blanc ou du rouge, alors elle avait une chance sur deux, mais quand même !

Il la suivait partout dans la chambre, comme un chien qui craint de perdre son maître.

— Qu'est-ce que tu fais ?

— Je pars pour Boston avec mon jeune assistant !

— Parker ?

— Oui, Parker !

Elle eut envie de pouffer de rire. Si son mari avait connu les goûts véritables de Parker ! Mais elle n'allait pas le détromper !

— Tu n'es pas sérieuse ? Tu ne pars pas pour Boston ?

— Non, je ne pars pas pour Boston.

— Ah, tu me rassures... Alors pourquoi faire ta valise ?

— Parce que je pars.

— Où ?

— Je te le dirai quand je reviendrai. Je te demanderais de ne pas chercher à savoir où je suis et de ne pas me harceler au bureau.

Il eut beau la supplier de rester, se mettre à genoux, et même pleurer – pour la première fois de leur mariage ! –, elle resta intraitable et, vingt minutes plus tard, en prenant soin d'emporter ses mystérieuses boucles d'oreilles, elle quittait le domicile conjugal.

8

Où la jeune femme connaît le sort d'un roi très ancien

— C'est pour une seule personne ? demanda l'hôtelier, un quinquagénaire plutôt gras et presque complètement chauve, avec des yeux très petits, dont l'éclat rusé était accentué par ses lunettes.

Elle aurait pu tout aussi bien répondre que c'était pour une personne seule, mais elle se contenta de dire :

— Oui.

Il consulta son registre, plissa les lèvres, hocha la tête d'un air désolé :

— Malheureusement, il me reste seulement une chambre avec deux lits doubles, à cent quarante dollars.

— Et la chambre numéro 13, dit-elle, elle n'est pas libre ?

L'hôtelier entrouvrit la bouche, stupéfait. La 13 était libre, il le savait. Comment avait-elle pu deviner ? Il la regarda comme si elle était une sorcière. Il consulta de nouveau son registre, juste pour se donner une contenance, et d'une voix tremblante avoua :

— Oui, c'est curieux, vous avez raison, la 13 est effectivement libre, à quatre-vingt-dix dollars, je... je ne sais pas où j'avais la tête.

— Ça arrive à tout le monde, dit aimablement la jeune femme qui s'apercevait qu'elle n'avait pas eu à toucher ses boucles d'oreilles pour lire dans la pensée de l'hôtelier.

En entrant dans sa chambre, qui était petite et minable, elle jeta sa valise sur son lit, elle ressentit tout à coup tout le poids de sa solitude et elle fondit en larmes.

Elle était désormais une femme seule...

Et, en plus, son mari la trompait avec une femme qui avait dix, peut-être quinze ans de moins qu'elle, qui était ravissante, et toute menue, comme on l'est à vingt ans...

Dix ans...

Elle avait passé dix ans de sa vie avec lui, et n'avait jamais pensé, malgré leurs différends et malgré son manque d'ambition qui l'agaçait de plus en plus, qu'un jour ils en viendraient à se séparer... Elle avait cru que les vœux prononcés devant l'autel étaient sincères, que ce serait pour la vie, que, comme ses parents, seule la mort les séparerait...

Comme ses parents...

Cela aussi, c'était une illusion, un mensonge...

Elle était fatiguée, elle était à bout, et si elle s'était allongée sur son lit, elle se serait probablement endormie tout de suite, mais elle ressentit tout à coup le besoin impérieux de prendre une douche.

Pour se purifier, pour se laver de toutes les immondices de sa vie...

La trahison de son mari, bien sûr...

Mais aussi la froideur de son père, qui ne l'aimait pas vraiment, pas plus qu'il n'avait aimé sa pauvre mère, qui pourtant n'avait jamais démérité, et qu'il avait remplacée dès qu'il l'avait pu par cette coiffeuse peu distinguée...

Mais aussi le mensonge, partout autour d'elle...

De ses meilleures amies, bien entendu...

Et de ses collègues...

De tout le monde en somme...

New York était un véritable musée des horreurs...

Elle passa à la salle de bains qui était fort exiguë et là, avant de se dévêtir, elle contempla un instant son reflet dans la glace, et ne put s'empêcher de penser : voilà de quoi a l'air une femme trompée !

Tout à coup, elle se sentit vieille, très vieille, et ses premières rides lui parurent plus profondes, ses cernes plus visibles : elle perdait la guerre contre le temps. Tout le monde la perd, elle était assez lucide pour le savoir, mais de constater que c'était à son tour de la perdre, c'était une autre histoire : une abstraction devenait une réalité, *sa* réalité. Encore, si elle avait eu les normales compensations professionnelles de son âge, qui justement font oublier les outrages du temps, mais, loin de se réaliser, ses ambitions s'étaient effondrées une à une, comme des châteaux de cartes au vent de la vérité.

C'est alors qu'elle se rendit compte, à son étonnement, qu'elle ne portait pas ses boucles d'oreilles ! Juste avant de quitter l'appartement, elle les avait en effet fourrées en vitesse dans son sac à main. Elle blêmit.

Elle ne comprenait pas. Comment se faisait-il qu'elle avait deviné les pensées de l'hôtelier sans le secours magique des boucles ?

Elle se sentit tout à coup affreusement mal, comme si quelque chose de très grave venait de se produire, comme si elle avait appris, au hasard d'une visite de routine chez son médecin, qu'elle souffrait d'un cancer.

Elle devint encore plus pâle lorsque, revoyant la terrible scène qu'elle venait d'avoir avec son mari, elle réalisa qu'elle avait tout deviné de sa liaison sans porter les boucles d'oreilles qui étaient devant elle, sur sa coiffeuse !

Que lui arrivait-il? Avait-elle porté si longtemps les boucles d'oreilles qu'elle était pour ainsi dire contaminée, qu'elle avait « attrapé » le don de voyance?

Si c'était le cas, sa vie tout entière serait empoisonnée, ce serait insupportable : cette lucidité était invivable. Mieux valait vivre dans une certaine ignorance qui seule rendait l'existence en société tolérable.

Mais peut-être dramatisait-elle... Peut-être le don disparaîtrait-il aussi rapidement qu'il lui était venu et se réveillerait-elle le lendemain, libérée...

Elle passa enfin sous la douche dont le jet chaud la réconforta et lui fit oublier pendant quelques minutes ses angoisses. Puis elle se coucha et s'endormit dès que sa tête toucha l'oreiller, comme si elle n'avait pas fermé l'œil depuis deux jours...

Le lendemain, après avoir dormi aussi bien qu'une femme qui vient tout juste de se séparer peut dormir, c'est-à-dire fort mal, elle se réveilla sans penser aux boucles d'oreilles ni à ce don curieux dont elle avait hérité pour les avoir trop portées.

Mais en marchant sur le trottoir à la recherche d'un restaurant où elle prendrait son premier petit déjeuner de femme séparée, un incident se produisit, qui lui confirma qu'elle ne s'était malheureusement pas débarrassée du don, même si elle ne portait plus les boucles d'oreilles qu'elle gardait sagement dans son sac à main.

Une vitrine de lingerie féminine avait retenu son attention. Une jolie étalagiste la refaisait, habillant un mannequin de bois avec un déshabillé noir. La jeune femme pensa à quel point elle avait été ridicule, depuis un an, dépensant inutilement une petite fortune en sous-vêtements supposément affriolants pour raviver l'ardeur amoureuse de son mari. Sa jeune maîtresse ne devait pas se donner tant de peine : la nudité de ses vingt ans suffisait ! Tandis qu'elle, avec ses hanches un peu fortes dont elle ne parvenait pas à se débarrasser malgré ses efforts les plus héroïques...

Elle remarqua alors, à côté d'elle, la présence d'un homme d'une trentaine d'années qui, la main droite plongée dans la poche de son imperméable, regardait fixement la jeune étalagiste. Sa mine l'inquiéta, il y avait quelque chose de sinistre en lui. La jeune étalagiste le vit et lui jeta un air contrarié, l'air de dire : « Veux-tu bien me foutre la paix, à la fin ! » De toute évidence, elle le connaissait. Elle détourna la tête, entreprit de couvrir les seins parfaitement galbés du mannequin avec un soutien-gorge noir transparent.

Alors, curieusement, la jeune femme entendit des phrases menaçantes. C'était une voix d'homme qui disait : « Si tu ne me reviens pas, je vais te tuer ! Tu ne peux pas me quitter ainsi. Je t'aime encore ! » Et puis il y avait une scène qui se présentait devant son œil mental, avec une clarté hallucinante. Un homme qui pointait un revolver en direction d'une femme : et cet homme était celui qui se tenait à côté d'elle, la main plongée dans la poche de son imperméable. Et cette femme était cette jolie étalagiste, qui s'affairait dans la vitrine devant elle !

La jeune femme comprit qu'il lui fallait agir tout de suite, sinon elle serait témoin d'un meurtre. Sans vraiment réfléchir à ce qu'elle faisait, au danger qu'elle courait, elle se tourna vers l'homme et dit, d'une voix autoritaire :

— Si vous faites ça, vous allez vous retrouver sur la chaise électrique !

Il se tourna vers elle, l'air hébété, proche de l'affolement. Comment diable avait-elle pu percer ses secrètes intentions ?

— Qui êtes-vous ?

— Votre ange gardien ! répliqua-t-elle du tac au tac.

La crut-il ? Pensa-t-il qu'elle plaisantait ? Toujours est-il qu'il tira de la poche de son imperméable un revolver, qu'il pointa en direction de la vitrine. Affolée, l'étalagiste échappa le soutien-gorge qu'elle agrafait, non sans difficulté car il était un peu juste.

— Laissez immédiatement tomber cette arme ! ordonna la jeune femme.

L'homme se tourna vers elle, la regarda de nouveau, sans trop savoir ce qu'il devait faire, mais au lieu d'obéir il se retourna vers la vitrine, il ouvrit le feu à deux reprises vers le mannequin : atteint en plein cœur, celui-ci se renversa dans le grand fracas de la vitrine qui volait en éclats. La jeune étalagiste poussa un cri de terreur mais, paralysée, fut incapable de prendre la fuite. Elle tenta de raisonner son ex-amant :

— Georges, tu es fou ! Qu'est-ce que tu fais ?

— Je t'aime encore ! hurla-t-il.

— Mais je pensais que tu avais compris, Georges. C'est fini entre nous. Allez, sois raisonnable, Georges... Tu vas rencontrer quelqu'un d'autre.

— Je ne veux pas rencontrer quelqu'un d'autre. C'est toi que j'aime.

Allait-il ouvrir le feu sur l'étalagiste qui le repoussait ? À la place, il se tourna vers la jeune femme, la regarda avec curiosité, comme s'il était toujours intrigué par ce qu'elle lui avait dit, sa prétention d'être son ange gardien. Désespéré, il semblait attendre un signe d'elle. Alors, dans un nouveau revirement, il posa le canon de son revolver sur sa tempe droite.

— Georges! cria l'étalagiste, qu'est-ce que tu fais?

Il ne fit pas attention à elle, comme si elle ne lui avait rien dit. Michèle eut une autre vision : l'homme voulait se flamber la cervelle, mais il hésitait, car il pensait à sa mère, dont la jeune femme voyait le visage attendri couronné de longs cheveux gris. Alors elle dit :

— Votre mère ne s'en remettra jamais!

Stupéfait, l'homme laissa tomber son arme sur le trottoir et, après avoir jeté un dernier regard désespéré vers celle qui l'avait une fois de plus rejeté, il déguerpit, juste à temps pour échapper au gérant de la boutique, quinquagénaire tiré à quatre épingles, qui, alerté par le fracas de la vitrine et les coups de feu, était accouru avec le gardien de sécurité.

L'étalagiste, marchant précautionneusement dans les éclats de vitre, descendit sur le trottoir et s'avança vers la jeune femme, qui accepta ses remerciements mais s'éloigna tout de suite, sans lui expliquer comment elle avait fait pour confondre si mystérieusement son agresseur.

Elle était troublée, pas tant par ce qui venait de se produire que par la constatation que le don n'était pas disparu. Elle continuait de lire dans les pensées, pire encore, de les voir. C'était insupportable. Quelques siècles après Pascal, elle découvrait que le cœur de l'homme – en tout cas celui de New York! – était creux et plein d'ordures.

Elle se sentait un peu comme le jeune Gautama qui, échappant au palais où son père l'avait gardé enfermé toute son enfance de crainte de le perdre, découvrait, à sa première sortie, la souffrance du monde, ce qui l'avait d'ailleurs décidé à partir à la recherche de l'illumination.

En fait, elle se retrouvait dans la même situation que le vieux roi Midas : ironiquement, la réalisation de son souhait avait empoisonné sa vie.

Elle n'eut plus qu'une pensée : retrouver le millionnaire qui seul pourrait la délivrer de ce véritable sortilège. Elle avait toujours son adresse, qu'elle avait conservée précieusement. Elle avait sa vieille voiture dont elle devrait sans doute se contenter pendant quelque temps encore puisqu'elle n'avait pas obtenu la promotion tant espérée. Elle téléphona d'abord au bureau pour annoncer qu'elle ne rentrerait pas parce qu'elle était souffrante – elle mentait et disait la vérité, car il est vrai qu'elle souffrait d'une maladie peu commune ! Puis elle fonça en direction de Long Island.

9

Où la jeune femme retrouve le millionnaire

Elle avait lu « 22, Ocean Drive », sur le carton du millionnaire. Elle était arrivée. C'était une immense résidence d'inspiration hispanique, avec un toit rouge, des balcons, des tourelles, qui devait comporter une trentaine de pièces. Un chemin y menait, bordé de lampadaires, comme dans une véritable rue. Après une hésitation, comme il n'y avait pas de grille, la jeune femme s'y engagea.

Elle ralentit lorsqu'elle aperçut un couple fort âgé, qui marchait dans sa direction, faisant sans doute sa promenade matinale. Elle s'arrêta à leur hauteur. L'homme, qui affichait un air hautain et contrarié, comme si toutes ses possessions l'avaient dépossédé de la plus grande richesse, qui est la bonne humeur, considéra l'état de sa voiture, puis tout de suite la questionna :

— C'est pour l'emploi de bonne ?

— Euh, non, dit la jeune femme un peu embarrassée. Je cherche un millionnaire, enfin je veux dire...

Elle allait préciser « un vieil homme qui se fait appeler le millionnaire », mais il ne la laissa pas terminer :

— Il n'y a pas de millionnaire ici, dit-il amusé par la naïveté de la jeune femme, je suis milliardaire. Mais tentez votre chance chez mon voisin, lui, il est seulement millionnaire.

Seulement millionnaire...

Ainsi donc on était toujours le pauvre de quelqu'un d'autre, même si on était millionnaire !

— Oh, je comprends, je... je vous remercie, dit-elle non sans une certaine déception.

Elle avait toujours pensé que les gens riches étaient raffinés, délicats : il y en avait aussi qui étaient des mufles !

Confuse, elle fit marche arrière et, revenue dans la rue, elle vérifia l'adresse et constata sa méprise. Dans sa hâte, elle avait lu « 22 » : c'était le 222 !

Quelques minutes plus tard, elle s'arrêtait à la bonne adresse et se retrouvait devant une imposante grille dont les armoiries tout de suite lui confirmèrent qu'elle était bien arrivée chez le millionnaire : c'étaient des roses entrelacées, comme sur sa carte de visite !

Un gardien en uniforme sortit d'une guérite, s'avança vers elle et lui demanda :

— Qu'est-ce que je peux faire pour vous ?

— Suis-je bien chez le millionnaire ?

— Oui... Vous avez rendez-vous ?

— Non...

— Alors je regrette, mon patron ne reçoit pas sans rendez-vous...

Elle tira les boucles d'oreilles dorées, les brandit et vociféra littéralement :

— Dites-lui que la jeune femme à qui il a offert ces boucles d'oreilles veut le voir absolument !

— Oh, je m'excuse, dit-il comme si la vue des boucles d'oreilles avait eu sur lui un effet magique, et il la laissa tout de suite passer, comme si elle était attendue.

Elle soupçonnait le millionnaire d'être riche, mais lorsque, au bout d'une longue rangée d'arbres et après être passée devant ce qui n'était que des résidences secondaires pour les invités ou le personnel, elle aperçut enfin son château, la jeune femme eut le souffle coupé.

Combien pouvait-il y avoir de pièces au juste ?

Quarante ?

Cinquante ?

À la porte, elle reconnut, parmi d'autres voitures, la limousine du millionnaire, une vieille Rolls blanche en parfaite condition, à côté de laquelle elle gara sa vieille voiture avec une petite gêne. Décidément, elle ne faisait pas le poids !

Après une hésitation, elle frappa, et tout de suite Émile, le vieux et fidèle domestique du millionnaire, vint lui ouvrir.

— Je suis venue voir le millionnaire, dit-elle.

— Si vous voulez bien me suivre...

Et le vieux domestique la conduisit, à travers un dédale de pièces magnifiquement meublées, aux murs couverts de tapisseries anciennes et de tableaux, vers deux très hautes portes de bois sombre qu'il ouvrit, ce qui lui permit de découvrir une véritable bibliothèque de rêve, très grande avec, pour les livres des rayons supérieurs, une passerelle à laquelle on accédait par un escalier en colimaçon.

Le millionnaire d'ailleurs se trouvait en ce moment sur cette passerelle fort étroite, et, le livre qu'il venait juste de dénicher en main, il se tourna vers la jeune femme, très élégant dans une robe de chambre noire rehaussée par une lavallière de soie ivoire.

— Alors finalement vous êtes venue ?

Elle plissa les lèvres. Il avait le culot de la narguer après le mauvais tour qu'il lui avait joué ! Et avec une agilité surprenante pour un homme de son âge, il descendit les marches de l'escalier en colimaçon, s'approcha de la jeune femme, lui tendit une main qu'elle serra, tandis que le vieux domestique se retirait.

Malgré sa colère, elle ne put s'empêcher de penser que, pour un homme de cet âge, il possédait un charme indéniable. La première fois, comme il portait un accoutrement un peu curieux, et qu'elle était ébranlée par les circonstances peu banales de leur rencontre, elle ne l'avait pas remarqué. Mais ce jour-ci, drapé dans sa belle robe de chambre de velours noir, avec le halo de fraîcheur citronnée de son eau de toilette, il était vraiment séduisant. Il émanait de lui une vitalité, une énergie intouchée par le temps et qu'auraient pu lui envier bien des hommes beaucoup plus jeunes. Et puis il y avait ses yeux, très bleus, à la fois perçants et rieurs, qui l'avaient déjà frappée, mais qui ce jour-là semblaient encore plus bleus, encore plus enveloppants.

Enfin, le millionnaire abandonna la main de la jeune femme qui se sentait un peu engourdie, comme s'il l'avait hypnotisée, et il l'invita à prendre place dans un canapé de cuir brun, sur lequel semblait veiller un buste du vieux philosophe Socrate, posé sur une colonne de marbre.

Devant le fauteuil, une table à café supportait un bouquet de roses jaunes très parfumées. En s'assoyant dans le canapé confortable et profond, la jeune femme se fit la réflexion que, comme elle travaillait dans une maison d'édition, retrouver le millionnaire dans sa bibliothèque était une coïncidence amusante. Mais pas assez amusante pour lui faire oublier le motif de sa visite, ni sa colère. Que le vieil homme parut d'ailleurs attiser à dessein en disant :

— Que me vaut l'honneur de votre visite ?

Elle tira les boucles de son sac à main, les déposa sur la table à café, à droite du vase fleuri.

— Je suis venue vous rapporter votre cadeau... dit-elle d'un ton sec.

D'abord le millionnaire ne dit rien, se contentant de sourire et de se pencher vers les boucles d'oreilles, qu'il prit et examina. On aurait dit qu'il voulait vérifier si elles étaient défectueuses.

« Pourquoi ne dit-il rien ? » se demanda la jeune femme. « Que peut-il bien penser ? » Et alors elle se dit qu'elle était bête, qu'elle pouvait le deviner, que d'ailleurs les pensées du vieil homme allaient bientôt lui apparaître, comme les pensées de tous ceux qu'elle croisait depuis le matin, et ce, même si elle ne portait pas les boucles fatidiques, ce qui était justement son drame.

Elle ne se trompait pas, car les pensées du millionnaire lui apparurent bientôt. D'abord la scène de l'accident, le petit Pedro qui courait dans la rue et se figeait littéralement à la vue de l'énorme camion, puis elle qui courait à sa rescousse, qui avait juste le temps de l'empoigner et de le jeter vers le trottoir avant de se faire heurter par le camion, lequel l'entraînait dans sa course et manquait de la tuer.

Elle éprouvait un frisson de revivre ainsi cet accident qui aurait pu lui être fatal, et de se rendre compte, parce qu'elle en était pour la première fois la spectatrice et non plus l'actrice, qu'elle avait frôlé la mort de plus près qu'elle n'avait cru, qu'il aurait suffi que le camion s'immobilise une fraction de seconde plus tard pour qu'elle soit broyée par ses énormes roues, comme un de ses escarpins...

Puis tout de suite après, elle voyait le millionnaire entrer chez le célèbre bijoutier Tiffany et désigner dans un comptoir de verre les boucles d'oreilles, que le vendeur lui remettait immédiatement et sur lesquelles il soufflait un peu mystérieusement, avant d'exiger un emballage cadeau.

Puis, sans transition, une nouvelle scène étonnante, la mer, la mer infinie, avec quelques nuages à l'horizon, puis une roseraie, une roseraie magnifique, qui venait mourir dans la mer, une mer aux reflets dorés où soudain flottaient des gondoles, comme si le millionnaire s'était transporté au bord du Grand Canal à Venise...

Ce qui était effectivement le cas, car Venise était la ville préférée du vieil homme qui y retournait presque chaque année en une sorte de pèlerinage à la beauté.

La jeune femme vit ensuite la fameuse place Saint-Marc, avec le palais des Doges, puis, vers la lagune, un énorme et magnifique globe d'or surmonté d'une statue : cette statue était celle de la Fortune qui, dans les temps anciens, accueillait les marins vénitiens à la pointe de la Douane, et aujourd'hui fait les délices des touristes.

Et dans une coïncidence étonnante, les boucles d'oreilles magiques étaient quasiment une réplique parfaite de ce magnifique globe d'or qui soutenait la Fortune. N'était-ce pas cette ressemblance étonnante qui avait poussé le millionnaire à les choisir?

La jeune femme tout à coup éprouva une émotion curieuse, parce que depuis qu'elle avait été frappée par le don, le millionnaire était une des rares personnes, sinon la seule – à part sa secrétaire en fait –, dont l'esprit n'était pas un amas de pensées sombres et haineuses.

Oui, son esprit semblait n'accepter en son enceinte que des pensées magnifiques et nobles. Était-ce pour cette raison que flottait dans ses yeux magnétiques ce mystère? Parce que constamment il voyait de splendides roseraies, parce que constamment il voyait la mer infinie, parce que constamment il voyait Venise la magnifique?

Le millionnaire posa les boucles d'oreilles, qu'il avait longuement examinées, et demanda tout simplement :

— Elles ne vous plaisent pas? J'avais pensé pourtant...

Elle lui raconta alors toute son histoire, comment les boucles lui permettaient de lire dans l'esprit des gens, de voir leurs pensées les plus secrètes, et comment elle souffrait maintenant de cette clairvoyance, même sans porter ces bijoux ensorcelés.

— Vous ne m'aviez pas dit que ces boucles gâcheraient ma vie! conclut-elle.

— Vous ne me l'avez pas demandé, lui répliqua-t-il du tac au tac.

C'était juste, elle ne le lui avait pas demandé! Mais il n'en restait pas moins qu'elle avait un problème!

— Toute ma vie s'est effondrée comme un jeu de cartes... J'ai découvert que mes meilleures amies se foutaient de moi au fond, que mon père était déçu que je ne sois pas devenue fonctionnaire, qu'il n'aimait pas vraiment ma mère, et surtout, surtout, que mon mari avait une maîtresse... À cause de vous, j'ai perdu toutes mes illusions.

— Hum... se contenta de murmurer le millionnaire, c'est magnifique...

Et ses yeux tout à coup s'embuèrent, et la jeune femme crut tout naturellement que le récit de ses mésaventures l'avait ému, mais ce qu'elle lut dans sa pensée était bien différent et ne paraissait pas triste du tout.

Elle vit au sommet d'une montagne un majestueux temple noir.

Et pourtant elle protesta, indignée par sa remarque :

— Vous trouvez ça magnifique ?

— Oui, dit le millionnaire, c'est très beau de perdre toutes ses illusions. Parce que vous avez franchi le premier pas.

— Le premier pas ? Que voulez-vous dire ?

10

« On va toujours à la rencontre de soi-même »

— Je vais vous raconter une histoire très ancienne, dit le millionnaire. Un jour, un homme riche qui revenait d'un long voyage à l'étranger trouva ses serviteurs dans son jardin, dont ils retournaient chaque pierre, scrutaient chaque bosquet. « Que cherchez-vous ? » les questionna-t-il. Tous les serviteurs baissèrent la tête, honteux et craintifs parce que si leur maître était juste, il était aussi très sévère. Comme personne n'osait répondre, l'homme insista. Enfin le plus jeune serviteur avoua : « C'est moi, tout est de ma faute. Nous ne pouvons plus entrer dans la maison, j'ai perdu la clé. Nous la cherchons depuis des jours. — Êtes-vous bien sûrs de l'avoir perdue dans le jardin ? — Non, expliqua le plus vieux, il l'a perdue dans la maison, mais comme la porte est verrouillée, nous ne pouvons pas entrer : alors nous la cherchons dans le jardin. »

— Mais c'est absurde ! protesta la jeune femme.

— Et pourtant, dit avec tristesse le millionnaire, cette histoire ancienne est bien actuelle. La plupart des gens sont comme ces serviteurs : ils cherchent dans leur jardin un bonheur qu'ils ne peuvent trouver que dans leur maison. Lorsqu'on découvre cette vérité simple comme l'œuf de Colomb mais que la plupart des gens se refusent à reconnaître, c'est le commencement de la sagesse, la porte du temple, le premier pas, celui que, je crois bien, vous avez franchi. Aussi devriez-vous vous réjouir et célébrer : vous êtes privilégiée... La grimace que vous avez vue dans les événements de votre vie, c'est en réalité un sourire, un sourire aussi beau que celui de la Joconde, qui est le sourire de l'esprit, le sourire qui s'élève au-dessus de la vie ordinaire, de ses tracas, de ses illusions...

Elle n'était pas certaine de comprendre, mais elle était certaine d'une chose et elle le dit :

— Il reste que j'ai été trahie par mon mari...

— On va toujours à la rencontre de soi-même...

— On va toujours à la rencontre de soi-même? demanda la jeune femme, un peu intriguée.

— Oui, et c'est pour cette raison qu'il faut toujours que vous cherchiez la raison de vos malheurs en vous-même et pas dans les autres, en évitant bien entendu le piège de la culpabilité, monstre qui ronge tant d'êtres.

— Je... je ne suis pas sûre de comprendre; mon mari, il me semble, a commis la première faute... Il a pris une maîtresse, je n'ai pas pris d'amant, moi.

Le millionnaire devint tout à coup fort grave; il la regarda droit dans les yeux et lui demanda :

— Est-ce que vous aimiez votre mari?

— Mais je... bien sûr que je l'aimais... enfin, avant que je connaisse sa trahison...

— Vraiment?

Il la regarda avec plus d'intensité encore. Il ne semblait pas convaincu, la considérait avec scepticisme, comme s'il pouvait lire dans son âme. D'ailleurs, ne disposait-il pas lui-même de cette faculté étonnante puisqu'il avait pu l'octroyer à la jeune femme à travers les mystérieuses boucles d'oreilles qui, sur la table à café, près du vase de roses jaunes, semblaient encore la narguer?

Elle se troubla, comme si cette simple question du millionnaire avait provoqué en elle une explosion : l'explosion de la vérité qu'elle s'était cachée trop longtemps, parce que, elle le réalisait maintenant, c'était inconfortable d'aller à la rencontre de soi-même, c'était plus facile de justifier ses errements, ses manquements en rejetant le blâme sur les autres.

Tout un train de pensées s'était ébranlé en elle. Aimait-elle encore son mari, même avant de découvrir son infidélité? Avait-elle encore de l'admiration pour lui, sans lequel l'amour n'est pas l'amour? Au fond, ne le méprisait-elle pas depuis longtemps, parce qu'il n'était pas assez ambitieux, parce qu'il ne parvenait pas à terminer sa thèse de doctorat, parce qu'il n'était pas un homme de pouvoir comme Parker?...

Parker...

N'avait-elle pas été la première à être infidèle à son mari, à ne plus avoir de désir pour lui, parce qu'elle avait commencé à rêver à un homme comme Parker, à Parker lui-même, dont la cour la flattait, jusqu'à ce que, bien entendu, elle découvre la vérité à son sujet?

Et pourtant curieusement, paradoxalement, elle reprochait à son mari de la négliger, et c'était en fait, elle le réalisait maintenant, seulement sa fierté qui était en cause, son orgueil de femme, que l'indifférence de son mari froissait même si elle n'avait pas envie de lui...

Alors une grande émotion monta en elle, et des larmes mouillèrent ses yeux. Le millionnaire avait raison. Son mari n'avait été qu'un miroir : avec lui, elle avait été à la rencontre d'elle-même.

11

Où la jeune femme découvre que la vie est un jeu

La jeune femme resta un instant pensive, puis, comme elle était encore préoccupée par son travail – elle était maintenant une femme seule, et vivre seul, à New York ou ailleurs, n'est pas une sinécure –, elle questionna le millionnaire au sujet de son avenir.

— Pensez aux paroles du maître des maîtres : « Regardez les oiseaux, ils ne sèment ni ne moissonnent, et pourtant tous les jours mon Père céleste les nourrit. » Cultivez vous aussi cette sage insouciance. Ce qui ne veut pas dire que vous deviez vous complaire dans l'oisiveté et la nonchalance. En fait, soyez tout à la fois comme la cigale et la fourmi de la célèbre fable. Chaque jour travaillez avec patience, avec zèle, avec amour, comme si vous vous prépariez à affronter le pire des hivers. Mais en même temps, travaillez dans la bonne humeur constante, laissez s'élever en vous, de l'aube jusqu'au soir, le chant de la Vie, comme si en vous resplendissait le soleil d'un été éternel. Fuyez la tristesse, cultivez la joie. Travaillez chaque jour à vous perfectionner dans votre métier. Et n'en changez pas constamment. Soyez fidèle à votre métier, il ne vous trahira pas. Ne perdez pas une once de votre précieuse énergie mentale à vous inquiéter et à vous demander ce qu'il adviendra de vous. La loi éternelle de la compensation joue en votre faveur.

— La loi de la compensation ?

— Oui, elle a été énoncée par le grand Emerson. Lorsque le succès tarde à venir, lorsque vos efforts ne sont pas récompensés tout de suite, ne vous en faites pas : vous mettez Dieu dans votre dette. Lorsqu'il viendra enfin, votre succès n'en sera que plus éblouissant.

— C'est réconfortant, dit la jeune femme.

— Oui, c'est réconfortant, et en même temps vous n'avez pas à subir cette loi, pourtant fort juste, pour être heureuse...

— Je ne suis pas certaine de vous suivre...

— Votre âme ne voit pas le temps comme vous le voyez. Elle est éternelle, alors pour elle, dix ans, vingt ans ne sont rien. Supposons que, en vertu de la loi de la compensation, vous soyez destinée à obtenir ce que vous voulez dans cinq ans...

— Dans cinq ans ! Mais c'est une éternité...

Le millionnaire sourit.

— Comme je viens de vous le dire, pour vous, c'est une éternité, mais pour votre âme, c'est peut-être juste un chapitre dans le grand livre dont elle a besoin pour faire de vous l'éditrice que vous voulez devenir ?

La jeune femme ne dit rien, mais parut découragée par ses propos, ce que ne manqua pas de remarquer le millionnaire.

— La bonne nouvelle, c'est que vous n'avez pas besoin d'attendre après ce que vous appelez le succès pour être heureuse, dit le millionnaire. Vous n'avez pas besoin d'attendre dix ans, cinq ans, ni même cinq minutes.

— Je ne vous suis pas...

Au lieu de répondre, le millionnaire se leva :

— Venez, dit-il, prenons un peu d'air.

Et il entraîna la jeune femme vers de grandes portes françaises qui donnaient sur un vaste balcon de pierre avec vue imprenable sur la mer. Entre la mer et la somptueuse résidence du millionnaire s'étendait un jardin, la roseraie du vieil homme, qui, à cette époque de l'année, avait perdu sa splendeur estivale et était un peu triste à voir. Nombre de rosiers avaient été taillés, renchaussés de terre, et paraissaient fort dégarnis, tandis que d'autres, plus fragiles, avaient été abrités, pour les protéger des éventuelles rigueurs de l'hiver.

En ce début de janvier le temps était pourtant relativement doux et un soleil magnifique venait tempérer la fraîcheur de la brise marine.

— Jeune, j'avais un ami qui était très ambitieux et rêvait de faire fortune parce qu'il était complexé à cause de sa laideur, ou de ce qu'il croyait être sa laideur, parce que moi, je ne l'ai jamais trouvé laid. Je l'aimais : c'était mon ami, presque un frère. D'ailleurs, c'est curieux, depuis cinquante ans, nous nous sommes toujours suivis, et en fait il vit dans la même rue que moi et son adresse est presque la même puisqu'il habite le 22 et moi, le 222.

— Je l'ai rencontré, dit la jeune femme amusée par cette coïncidence, parce que je me suis arrêtée par erreur au 22.

— Tiens, dit le millionnaire... Et comment l'avez-vous trouvé ?

— Un peu condescendant, dit poliment la jeune femme.

— Il ne changera jamais, dit le millionnaire en souriant avec une affection visible.

Et tout de suite il enchaîna :

— Comme il était aussi très intelligent et très énergique, il est devenu extrêmement riche. Il vaut en effet quatre milliards.

— Quatre milliards !

— Oui, c'est une somme, et pourtant c'est un des hommes les plus malheureux que je connaisse parce qu'il est obsédé par Bill Gates qui en vaut quarante... Aussi paradoxal que cela soit, il se trouve pauvre parce que tous les matins il se lève et pense à son concurrent, et il se dit : « Je suis minable, je n'ai rien, je ne suis même pas sur la liste de Forbes, on ne parle pas de moi dans les journaux tous les jours, et Bill Gates, lui, fait constamment la manchette. Il faut que je travaille plus, il faut que je fasse de nouvelles acquisitions, plus de profits, sinon je serai toujours minable, je ne vaudrai jamais rien. Alors que moi avec mon petit milliard...

— Vous êtes milliardaire ?

— Euh, oui... dit-il en penchant la tête, avec un petit sourire modeste comme s'il avouait une faute : était-ce d'être si riche ou de ne pas l'être davantage ?

La jeune femme n'aurait su le dire. Elle demanda :

— Alors pourquoi vous appelle-t-on le millionnaire ?

— C'est un nom qui m'a été donné il y a longtemps, à mes débuts, alors que je n'avais que quelques centaines de millions. Et le nom m'est resté... Mais peu importe, ce que je veux démontrer, c'est que je vaux quatre fois moins que cet ami, et quarante fois moins que Bill Gates, mais je m'en moque éperdument. Malgré mes millions, je n'ai jamais pu porter plus qu'une paire de souliers à la fois, je n'aime pas le champagne qui me donne mal à la tête ni la grande cuisine qui m'alourdit l'estomac et l'esprit. Même si j'ai des tableaux de maîtres accrochés à tous mes murs, je dois avouer que pour moi rien ne vaut le spectacle d'une rose qui s'ouvre dans la rosée du matin. Rien, si ce n'est peut-être le spectacle d'un esprit qui accouche de lui-même, si ce n'est le spectacle d'un esprit qui découvre l'énigme de la vie...

— L'énigme de la vie ?

— Oui, l'énigme de la vie, qui pourtant est simple même s'il m'a fallu des années pour la découvrir. Mon ami milliardaire par exemple ne l'a pas encore découverte, malgré sa fortune.

Il se tut comme s'il voulait bien peser ses mots, être certain de se faire correctement comprendre par la jeune femme, puis il dit :

— C'est bien d'avoir des ambitions, d'avoir des rêves, j'en ai eus, je ne le regrette pas, mais ce qui est encore mieux, c'est de comprendre que la vie est un jeu, c'est de comprendre que notre bonheur ne dépend pas de la réalisation de nos rêves. Pourquoi ? Parce que les rêves sont sans fin, et qu'une fois qu'un rêve est réalisé et nous a procuré un bonheur de cinq jours, ou de cinq minutes, un autre surgit, qui nous empêche aussitôt de continuer d'être heureux comme nous avions commencé à l'être pendant cinq minutes. Le piège se referme sur nous, le piège que notre propre esprit a créé de toutes pièces – c'est le grand spécialiste ! – et qui est d'autant plus parfait, d'autant plus redoutable qu'il est tissé avec des fils invisibles : c'est pour cette raison hélas ! que la plupart des gens tombent continuellement dedans et, se pensant éternels, meurent avant de commencer à être heureux.

La jeune femme plissa les lèvres. Ces paroles semblaient la toucher, elle se reconnaissait dans ce portrait. Le millionnaire ajouta :

— Mon ami fut malheureux tant qu'il n'eut pas gagné son premier million, mais devenu millionnaire il se mit à fréquenter des multimillionnaires et se trouva pauvre, et le piège ensuite consista pour lui à rêver de gagner cent millions. Une fois qu'il les eut, il se dit : « Comment être heureux lorsqu'on n'est même pas milliardaire ? » Et maintenant qu'il vaut quatre milliards, le piège invisible a pris pour lui un autre visage : il est obsédé par Bill Gates... Il en a pour longtemps cette fois-ci et je crains bien que, comme beaucoup de gens qui se croient éternels et reportent constamment le moment d'être heureux, il ne meure avant de le devenir parce que Bill Gates s'enrichit à la vitesse de la lumière, et mon pauvre ami, enfin c'est une manière de parler, est moins jeune maintenant... Parfois j'essaie de lui parler, j'aimerais lui injecter une dose de contentement, mais il n'y a rien à faire. Il ne se rend pas compte qu'en réalité il ne possède pas quatre milliards, qu'il est possédé par les quarante milliards qu'il ne possède pas...

— C'est triste, dit la jeune femme...

— En fait, dit le millionnaire, ne sommes-nous pas tous un peu comme lui ? Nous nous déjouons nous-mêmes, comme on déjoue un âne qui court après la carotte qu'on a attachée à son front. Pas seulement dans notre vie professionnelle, dans notre vie personnelle aussi, d'ailleurs. Par exemple une jeune fille se dit – et elle en est foncièrement persuadée : « Si j'étais plus jolie, si ma mère était moins butée, si je pouvais me débarrasser de telle collègue, si je pouvais enfin être aimée par tel homme, je serais heureuse. » C'est l'énigme de sa vie, c'est son piège. Une autre personne se dira : « Si j'obtiens enfin tel prix, si je finis par divorcer et par me débarrasser de mes dettes, je serai enfin heureux... » Et la vie continue, et deux choses peuvent se produire : soit la personne ne réalise pas ses rêves, et alors elle se dit qu'elle a raté sa vie, qu'elle n'est pas heureuse parce qu'elle n'a pas réalisé ses rêves. Soit elle réalise ses rêves mais, en cours de route de nouveaux rêves sont venus remplacer les anciens ; la personne partait de New York pour aller à Los Angeles, mais rendue à Los Angeles elle a oublié qu'elle voulait aller à Los Angeles et elle est maintenant persuadée qu'elle ne sera heureuse qu'une fois rendue à Hawaii.

Une pause pendant laquelle la jeune femme, qui possédait toujours son mystérieux don de clairvoyance, vit les pensées du vieillard, et ces pensées étaient simples et belles : c'était une roseraie.

— L'homme riche qui n'apprécie pas ce qu'il a est pauvre, et l'homme pauvre qui apprécie ce qu'il a est riche, reprit le millionnaire. La richesse véritable réside dans le contentement. Ma maison, mes voitures, mes tableaux sont le fruit de ma vaillance passée, et la preuve que l'homme peut accomplir tout ce qu'il croit profondément qu'il peut accomplir, car je suis parti de rien, mais même si je respecte toutes ces possessions matérielles, je n'en suis que le gardien, je n'en suis pas le prisonnier. Ma véritable fortune, personne ne peut me l'enlever et personne ne peut me la donner, puisque, comme je vous l'ai dit lors de notre première rencontre, je n'attends rien de personne, puisque cette fortune me vient de mon âme : c'est mon amour pour ma premièr[illegible] tasse de café du matin, c'est mon amour pour *L'A*[illegible] *de Socrate*, qui ne m'a coûté que quelqu[illegible] que je l'ai achetée il y a cinquante ans, [illegible] redonne chaque fois que je la relis un plaisir inestimable : le divin philosophe m'y rappelle la grande leçon de la vie, qui est le détachement. Il but l'injuste ciguë avec une parfaite sérénité, comme nous devrions boire l'amère coupe que nous tend parfois la vie. Car c'est facile d'être heureux lorsque tout va bien, encore que nombre de gens ne le sont même pas, mais ce qui est mieux, ce qui est le véritable défi de notre esprit, le véritable test de notre caractère, c'est de conserver son égalité d'humeur lorsque soufflent les vents contraires. Là réside la grandeur, là réside la véritable noblesse de l'homme. Oui, ce sont ces petites choses, ce café du matin, le divin Platon, et puis mes roses bien entendu qui me comblent : ce que j'appelle mes plaisirs minuscules, et qui pourtant sont immenses, car ils sont le tissu même de mon bonheur quotidien... Or celui qui n'est pas heureux aujourd'hui même, celui qui est assez insensé pour confier son bonheur aux mains incertaines de l'avenir, quand donc sera-t-il heureux ? Et s'il meurt avant d'avoir atteint le bonheur, qu'aura valu sa vie ?

La jeune femme ne dit rien, mais elle pensait à sa vie, à son travail, à son mari.

— La vie ressemble à un jeu de cartes. Ne faites pas comme la plupart des êtres qui s'identifient aux cartes que le destin, pour un temps, leur a données. Vous n'êtes pas vos cartes, vous n'êtes pas votre main, vous êtes un joueur, vous êtes une âme immortelle, qui n'est pas influencée par les événements, qui reste égale à elle-même dans les circonstances heureuses ou malheureuses, qu'elle accueille comme autant d'illusions, comme autant de mensonges, parce qu'elle tire son bonheur uniquement d'elle-même, parce qu'elle tire son bonheur uniquement de Dieu. Votre mécontentement ne vient pas du monde extérieur, il vient de vous, seulement de vous. Parce que même si les circonstances de votre vie changent, vous ne changez pas vraiment si du moins vous n'avez pas entrepris le travail qui consiste à perfectionner votre caractère, à acquérir ces vertus dont je vous ai parlé et qui composent la couronne qui fera un jour de vous un roi, une reine, qui fera un jour de vous ce que vous êtes. Parce que, ne vous y trompez pas, si vous obtenez ce poste d'éditrice que vous convoitez tant, le mécontentement qui est en vous en ce moment vous suivra, comme un voleur qui, une fois la joie de votre nomination passée, se montrera de nouveau le bout du nez et vous dérobera votre bonheur. Vous trouverez qu'on vous fait trop travailler, que vos responsabilités sont trop lourdes, vous rencontrerez sur votre chemin une autre patronne, qui aura un autre nom que votre patronne actuelle mais qui sera la même, qui vous empoisonnera l'existence, parce que votre patronne actuelle, c'est vous, elle vient de vous : on va toujours à la rencontre de soi-même et tant que l'on ne change pas on rencontre les mêmes circonstances et les mêmes obstacles. À quoi sert d'arracher une mauvaise herbe si on n'en extirpe pas en même temps la racine ? Pensez-y. Pensez aussi à la futilité de tant de problèmes qui n'ont comme importance que celle que notre esprit, souvent trop faible, veut bien leur accorder et qui s'évanouissent comme neige au soleil lorsque s'accroît en nous le discernement véritable, lorsque s'accroît en nous la joie qui vient de nulle part et pour cette raison est noble, et pour cette raison est durable. À l'avenir, chaque fois que vous serez malheureuse, chaque fois que vous laisserez les circonstances avoir le dessus sur vous, rappelez-vous que vous avez en vous un coffre au trésor inestimable qui recèle des splendeurs que la plupart des gens ne voient pas, parce qu'ils ne voient que ce qu'une société aveugle leur a appris à regarder. Et pourtant c'est un coffre qui déborde de ce que, au fond, vous recherchez, qui déborde de la seule chose qui peut vous rendre heureuse parce qu'il est rempli d'amour, parce qu'il est rempli de contentement, parce qu'il est rempli de Dieu.

La jeune femme était émue, car jamais elle n'avait entendu personne lui parler ainsi de matières aussi graves, aussi nobles : du bonheur, qui ne vient que dans le détachement et le souvenir de sa nature véritable, de l'âme, de Dieu.

12

Où la jeune femme se sépare du millionnaire

Sur l'invitation du millionnaire, la jeune femme passa la nuit chez lui. Le matin, elle se réveilla vers huit heures après avoir dormi profondément. Le millionnaire avait répondu à nombre de ses questions, avait apaisé nombre de ses angoisses sauf une, au sujet des boucles d'oreilles, si bien que, lorsqu'elle le retrouva dans la salle à manger où elle partagea son petit déjeuner, elle lui demanda :

— Et pour les boucles, vous ne m'avez toujours pas dit ce qui va arriver ?

— N'y pensez plus, dit le millionnaire, n'y pensez plus.

— Bon, dit-elle.

Lorsque vint le moment du départ, le vieil homme lui proposa :

— Est-ce que mon chauffeur peut vous reconduire ?

— J'ai déjà une voiture...

— C'est cette chose que j'ai vue devant la maison ?

— Euh oui...

— Vous l'aimez ?

— Non...

— Vous y êtes attachée ? Elle a une valeur sentimentale pour vous ?

— Non. Pas du tout.

— Alors pourquoi la garder ?

— Je n'en ai pas d'autre.

— Faites confiance à votre chance.

Faites confiance à votre chance ! C'était facile à dire quand on était millionnaire – milliardaire plus exactement ! – mais dans son cas, alors qu'elle accumulait les déboires, que la malchance s'acharnait sur elle, n'était-ce pas téméraire de laisser ainsi la proie pour l'ombre ?

Mais le millionnaire ajoutait :

— N'est-il pas dit qu'il faut vider les vieilles outres pour pouvoir les remplir de vin nouveau ?

Peut-être. Elle ne savait pas, et l'idée de se départir de sa seule voiture, qu'elle détestait peut-être mais qui lui était encore utile, ne lui souriait guère.

— Bon, c'est d'accord, consentit-elle enfin.

— C'est bien, dit le millionnaire. On ne regrette jamais de faire confiance à la vie. Vous habitez ?

— Soho.

— Oh ! Soho, je connais bien, j'y ai vécu plusieurs années dans ma jeunesse. Vous habitez où, au juste ?

— Vous savez le bel immeuble rénové avec un hall en marbre juste au coin de Houston et de la 8e Rue ?

— Oui, oui, je le replace très bien, c'est une ancienne manufacture...

— Eh bien, je vis dans les appartements en ruine, juste en face...

Le millionnaire éclata de rire. Décidément, la jeune femme lui plaisait. Elle ne manquait pas d'esprit. Elle avait le sens de l'humour et savait se moquer d'elle-même, ce qui est toujours le commencement de la sagesse.

Le millionnaire raccompagna la jeune femme jusqu'à la porte, prit ses deux mains dans les siennes, encore fort belles et fort vigoureuses pour un homme de son âge, et les serra longuement, en la regardant droit dans les yeux, et pour la première fois peut-être elle soutint son regard et se sentit troublée, car une sorte d'énergie mystérieuse montait en elle, venue elle ne savait d'où. Elle n'avait jamais vu des yeux pareils, à la fois aussi sévères et aussi rieurs, comme s'il y avait en eux tous les contraires, la discipline mais aussi l'insouciance, mais aussi la joie, mais aussi la liberté et l'amour.

Elle était émue, et des larmes lui montaient aux yeux. Avait-elle jamais rencontré un être semblable ? Si simple, si naturel malgré ses millions, mais en même temps si mystérieux, si excentrique dans sa manière d'être et de penser ?

— Bon voyage, lui souhaita le millionnaire. Et n'oubliez pas, où que vous alliez, vous allez toujours à la rencontre de vous-même !

Ce furent ses dernières paroles. Elle aurait voulu le remercier de tout ce qu'il avait fait pour elle, mais il ne lui en donna pas la chance, car déjà il avait tourné les talons et, l'air méditatif, il marchait en direction de sa roseraie même si, en ces mois d'hiver, elle avait perdu toute sa splendeur de juillet.

13

Où la jeune femme connaît des miracles dans sa vie...

— Est-ce que je peux me servir du téléphone? demanda la jeune femme au chauffeur un peu moins d'une heure après être montée dans la limousine qui devait parcourir tout Long Island avant d'arriver à New York.

— Mais bien entendu, dit courtoisement Edgar.

Il devait être neuf heures trente, le temps était radieux quoiqu'un peu plus frais que la veille. Son exaltation de la matinée – et de la veille – avait été de courte durée. Elle regrettait déjà d'avoir abandonné derrière elle sa vieille voiture. C'était bien beau de se balader en limousine, de faire confiance à la vie, de croire à l'abondance universelle, mais dans une heure elle se retrouverait à pied! N'avait-elle pas été naïve d'écouter le millionnaire, comme elle avait été naïve de croire sa patronne et son mari? D'autant que dans une heure, dans une demi-heure, elle apprendrait peut-être également qu'elle était sans emploi. On ne savait jamais, chez Davon Press : les absents avaient toujours tort. Et peut-être sa patronne avait-elle profité de son absence pour intriguer contre elle, obtenir son congédiement?

Ce serait le comble. Plus de mari, plus de voiture, plus d'emploi : il ne lui resterait plus qu'à rendre visite à son médecin personnel qui prendrait un air faussement contrit et lui annoncerait qu'elle souffrait d'un cancer incurable ! Soudain une angoisse la tenailla, une sorte de pressentiment. Tout l'espoir que lui avait mystérieusement communiqué le millionnaire s'était évanoui.

Et c'est pour cette raison qu'elle ressentait un besoin pressant de téléphoner au bureau, ne serait-ce que pour annoncer à sa secrétaire qu'elle n'était plus malade mais qu'elle aurait un peu de retard.

— Suzanne ?

— Oui.

Ponctuelle, fiable, Suzanne était toujours au poste.

— C'est moi.

— Je sais, je suis contente que tu appelles... Parker te cherche depuis hier soir. J'ai tenté de te joindre à ton hôtel, je t'ai laissé des messages... Parker veut absolument te parler, c'est urgent, apparemment...

— Ah, bon... laissa-t-elle tomber, comme sous l'effet d'un choc.

Elle le savait ! Son pressentiment ne l'avait pas trompée. Parker lui annoncerait la mauvaise nouvelle. Il serait désolé, il aurait tout tenté – comme pour sa promotion qu'il n'avait pas obtenue ! – mais elle était virée...

— Je te mets en communication avec son bureau tout de suite, poursuivit sa secrétaire.

— Bon, dit la jeune femme, et de toute manière on se voit dans une demi-heure.

Aussi bien faire face à la musique, ne pas se dérober parce que rien n'est plus insupportable que le doute.

Un moment d'attente, qui lui parut infiniment long et pendant lequel son cœur se mit à palpiter dans sa poitrine, ce qui n'était jamais bon signe, parce que, dans sa vie, il semblait y avoir plus souvent de mauvaises que de bonnes nouvelles, puis enfin, à l'autre bout de la ligne, la voix de Parker, habituellement enveloppante, autoritaire, un tantinet arrogante, qu'elle avait cru longtemps être une voix d'homme à femmes jusqu'à ce qu'elle découvre l'amusante vérité, mais ce jour-là une voix différente, empreinte d'une certaine nervosité, et pourtant lumineuse, exaltée presque :

— Ah, chère amie, je suis content de vous avoir enfin, je vous cherche depuis hier. Il faut absolument que je vous parle.

— Eh bien, parlez-moi, je vous écoute.

Une pause, comme pour rassembler ses idées, puis il se lança :

— Écoutez, c'est fort simple, je quitte Davon Press à la fin de la semaine. J'ai accepté un poste de vice-président chez Salomon Press.

— Je vous félicite.

— Oui, bon, merci. Mais vous devinez évidemment que je ne vous cherche pas depuis hier pour me vanter de mes faits d'armes! Non, en réalité j'ai une proposition à vous faire. Je vous regarde travailler depuis que je suis chez Davon Press : j'aime ce que vous faites, j'aime votre jugement, j'aime votre intégrité, votre passion pour les livres, et je pense que vous avez l'étoffe pour devenir une excellente éditrice. Ils sont d'accord chez Salomon Press pour que vous me suiviez, et je pense que j'ai obtenu pour vous des conditions très acceptables. Je dois d'ailleurs ajouter, à ma courte honte, que je pensais à vous depuis quelques semaines déjà parce que le poste m'a été offert au début de décembre, et c'est d'ailleurs pour cette raison que je n'ai pas trop moussé votre candidature à la réunion de fin d'année.

La jeune femme apprenait enfin la vérité. Comme elle était différente de ce qu'elle avait imaginé ! Elle avait cru que Parker n'avait pas voulu se mouiller pour elle parce qu'elle ne s'était pas montrée assez complaisante à son endroit – ou carrément n'avait pas couché avec lui – ce qui était absurde puisqu'il aimait les hommes, et maintenant elle comprenait qu'il n'avait jamais cessé de penser à elle : simplement, il avait un agenda secret.

— D'ailleurs, poursuivait un Parker d'une générosité qui étonnait la jeune femme, je suis sûr que vous ne m'en voudrez pas parce que j'ai négocié pour vous des conditions que vous n'auriez jamais pu avoir ici... Un salaire de départ de soixante-cinq mille dollars, une voiture fournie, un compte de dépenses mensuel de mille dollars. Qu'est-ce que vous en dites ?

Qu'est-ce qu'elle en disait ?

Salomon Press, c'était une des maisons les plus prestigieuses de New York, une des cinq plus grandes de fait. Et puis, soixante-cinq mille dollars par année, alors qu'elle n'en gagnait même pas trente, c'était plutôt alléchant ! Sans oublier le compte de dépenses et la voiture fournie ! La voiture fournie, quelle coïncidence : et dire qu'à peine deux minutes plus tôt elle regrettait de s'être débarrassée de sa vieille bagnole et en voulait au millionnaire de l'avoir encouragée à croire en l'abondance universelle ! Quel diable d'homme il était ! Avait-il, par quelque pouvoir mystérieux de lui seul connu, deviné les miracles qui ne tarderaient pas à se produire dans sa vie ? Ou étaient-ce simplement les lois spirituelles qui se manifestaient dans son existence, entre autres l'éternelle loi de la compensation, selon laquelle chaque échec, chaque prétendue injustice contient le germe d'un bénéfice plus grand ? Elle s'était vu refuser en apparence injustement le poste qu'elle convoitait depuis longtemps, et voilà que lui était offert sur le plateau d'argent de son mérite un poste bien plus intéressant, qu'elle n'aurait pas pu décrocher si l'autre lui avait été accordé !

Comme il arrive souvent, et comme le lui avait assuré le millionnaire, la Vie avait été plus sage qu'elle. Et la jeune femme se serait évité bien des contrariétés, bien des chagrins si elle lui avait tout simplement fait confiance.

N'y a-t-il pas toujours une raison pour que les choses arrivent à un moment précis et pas à un autre ?

Une porte s'était fermée, une autre s'était ouverte, bien plus grande, bien plus glorieuse que la première !

Ce qu'elle pensait de la proposition de Parker ?

C'était inespéré !

D'autant que si elle l'acceptait, elle faisait d'une pierre deux coups : non seulement elle deviendrait enfin éditrice, un rêve qu'elle avait cru impossible, mais elle se débarrassait par la même occasion de sa détestable patronne et d'Agatha qui avait intrigué pour obtenir « son » poste...

Son poste, dont elle se moquait maintenant éperdument et qu'elle était même heureuse de ne pas avoir obtenu.

Comme la vie était mystérieuse et belle !

Un instant elle se demanda si elle ne rêvait pas, mais le chauffeur qui la conduisait semblait bien réel, ainsi que la limousine entrant dans Queens qui n'était certainement pas un quartier de rêve ! Elle se pinça pourtant, éprouva une douleur, s'en félicita : les lois de la veille étaient respectées.

— Alors, qu'est-ce que vous en dites? demanda Parker qu'elle faisait poireauter au bout du fil sans s'en rendre compte même si elle ne réfléchissait pas depuis plus de cinq secondes, car tout s'était déroulé dans son esprit à une vitesse vertigineuse. Évidemment, ajouta-t-il, les soixante-cinq mille dollars, ce n'est qu'un salaire de départ, il y aura des augmentations selon votre performance...

Elle allait répondre que oui, elle acceptait – comment refuser pareille offre? –, lorsque, subitement, un peu mystérieusement, elle vit danser devant ses yeux étonnés un chiffre : soixante-quinze

Soixante-quinze?

Elle se demanda pourquoi ce chiffre. Et tout de suite après, comme par magie, trois zéros vinrent se greffer au soixante-quinze initial pour donner soixante-quinze mille.

Lisait-elle encore dans la pensée?

Et d'ailleurs lui était-il possible de le faire au téléphone? Le millionnaire n'était-il pas censé l'avoir guérie?

— Est-ce que vous avez besoin de ma réponse tout de suite? demanda-t-elle à un Parker de plus en plus anxieux tant elle mûrissait ses réponses.

— Oui. C'est urgent, je suis en train de constituer toute mon équipe et je dois savoir si vous me suivez ou si vous restez chez Davon Press. Je sais qu'il vous sera difficile de vous séparer de votre patronne, ironisa-t-il car il connaissait bien entendu l'inimitié entre les deux femmes, mais rien n'est parfait.

— Si vous m'offrez soixante-quinze mille dollars, c'est oui tout de suite. Sinon je vais avoir besoin de quarante-huit heures pour réfléchir, bluffa-t-elle, les doigts croisés, espérant qu'elle avait effectivement lu dans la pensée de Parker et non qu'une gourmande ambition lui avait témérairement dicté ce chiffre. Mais, pour une fois, elle « jouait » de chance – au lieu de malchance, comme d'habitude –, ou encore il lui restait des séquelles de sa « maladie ». Car ce chiffre faramineux pour quelqu'un qui ne gagnait qu'un modeste salaire, c'était précisément celui que Parker avait en tête. Mais, comme tout bon négociateur, il s'était gardé une marge de manœuvre.

— C'est d'accord. Va pour les soixante-quinze mille dollars.

Elle eut envie d'exploser de joie, mais elle se contint : elle ne voulait pas passer pour quelqu'un qui ne méritait pas pareil traitement !

— Je suis contente que nous soyons tombés d'accord, dit-elle fort posément. J'aurais juste une dernière chose à vous demander.

— Ne me demandez pas une Porsche, parce que je vous le dis d'avance, c'est non, trancha un Parker qui laissait pointer un peu d'exaspération : il admirait l'ambition chez les êtres, mais tout de même...

— Non, non, rassurez-vous, je ne veux pas une Porsche, une B.M. fera très bien l'affaire. Non, c'est pour ma secrétaire, Suzanne, elle non plus n'est pas très entichée de madame Simon, qu'elle appelle *Power Trip*. Est-ce qu'elle peut nous suivre chez Salomon ?

— Oui, pas de problème.

— Génial ! Et je commence quand ?

— Dans dix jours. Profitez-en pour vous reposer parce qu'il va y avoir du pain sur la planche à votre arrivée. Bon, je vous laisse, j'ai mille choses à faire avant mon départ.

Elle raccrocha. Elle n'en revenait pas. Il fallait qu'elle partage sa joie.

— C'est un miracle, dit-elle au chauffeur, je viens de décrocher un poste de rêve ! Je vais être payée soixante-quinze mille dollars par année pour faire un travail que j'aime !

— C'est bien, dit le chauffeur, je suis heureux pour vous.

Et elle le voyait sourire dans son rétroviseur et elle voyait qu'il était sincère. On aurait dit qu'il n'était pas étonné outre mesure de cette annonce, qu'il savait que, puisqu'elle avait fait la rencontre de son patron, le millionnaire, son existence allait nécessairement être transformée, que des miracles s'y opéreraient, comme il s'en opère toujours d'ailleurs dans la vie : simplement, nous ne les voyons pas.

Lorsqu'elle arriva enfin à la maison d'édition, elle trouva son service dans un véritable état de choc, et ce fut sa secrétaire qui lui en fournit l'explication. Elle paraissait elle-même catastrophée :

— P.T. vient juste d'être congédiée !

— Quoi ? Madame Simon a été congédiée ?

— Oui, Agatha aussi.

Et la jeune femme pensa alors à ce que le millionnaire lui avait dit, que les deux femmes avaient fait une erreur en intriguant bassement puisqu'il fallait toujours planifier des choses nobles, uniquement des choses nobles.

— Parker a remis sa démission, expliqua la secrétaire, il part chez Salomon Press...

— Oui, je sais, il me l'a annoncé il y a quelques minutes.

— Il y a plusieurs gros auteurs qui le suivent parce qu'ils ne veulent pas travailler avec madame Simon, qu'ils trouvent incompétente. Et la direction a décidé de la larguer dans l'espoir que les auteurs resteraient et de larguer aussi Agatha qui est trop associée à elle...

— Moi aussi, je pars... annonça la jeune femme à sa secrétaire après avoir pris un moment pour s'étonner de ce nouveau revirement inattendu dont sa vie semblait être plutôt fertile depuis quelque temps.

— Tu pars ?

— Oui, Parker m'a offert un poste d'éditrice chez Salomon Press.

— Ah ! chanceuse ! Bravo, je suis vraiment contente pour toi.

Et elle se leva de sa chaise et alla embrasser la jeune femme, mais tout de suite après elle s'assombrit :

— Moi, je ne sais pas ce que je vais devenir, je ne sais pas s'ils vont me garder parce que je perds mes deux patronnes. Le patron du personnel m'a convoquée pour onze heures, je ne sais pas ce qu'il va me dire.

— Moi, je sais ce que toi, tu vas lui dire.

— Hein ? Comment ?

— Tu vas lui dire que tu démissionnes ! J'ai demandé à Parker qu'il t'engage, et il a accepté. Tu viens avec nous chez Salomon Press !

— Ce n'est pas vrai !

— Puisque je te le dis !

— Et je... enfin nous commençons quand ?

— Dans dix jours.

— Ouh, ouh ! s'écria Suzanne, c'est génial ! Je ne pourrai jamais te remercier assez !

Et elle sauta de nouveau au cou de la jeune femme, la serra très fort. Elle n'en revenait pas. Tout s'arrangeait. Remise de son émotion, elle dit :

— Il faudrait peut-être que tu appelles ton mari, il a laissé au moins dix messages depuis hier.

— Oui, dit la jeune femme, tu as raison.

Sa secrétaire la rappelait à la réalité. Elle ne pouvait se dérober indéfiniment à cette obligation. Juste avant qu'elle ne s'enferme dans son bureau pour cette tâche délicate, sa secrétaire lui dit :

— Bonne chance !

— Merci.

Elle s'assit à son bureau, où elle s'était assise pendant cinq ans avec une frustration croissante, et où elle s'assoyait pour une des dernières fois parce qu'il ne lui restait que quelques jours pour fermer ses dossiers, préparer son départ, rédiger sa lettre de démission, un pensum dont elle s'acquitterait avec d'autant plus de facilité qu'elle en avait déjà concocté mentalement une vingtaine de versions, de la plus formelle, dans le genre de : « Je suis au regret de vous annoncer mon intention de quitter mes fonctions, etc. » à la plus cavalière : « Vous pouvez bien tous aller vous faire... »

Oui, la vie était peut-être dure et décevante, mais il y avait de bons moments quand même, et celui-là en était un qu'elle devait mettre dans sa petite banque de souvenirs heureux où elle pourrait puiser quand les choses n'iraient pas aussi bien ! Elle n'en revenait pas encore tout à fait ! Dans quelques jours, enfin elle serait libre, elle commencerait comme éditrice avec un salaire de soixante-quinze mille dollars par année.

Bon, son mari...

Il fallait bien qu'elle lui téléphone à la fin !

Elle avait compris, en conversant avec le millionnaire, qu'elle avait des torts à son endroit. Oui, elle avait été froide avec lui depuis un an, elle avait éprouvé des désirs pour d'autres hommes, essentiellement pour Parker : ce en quoi elle avait été ridicule, sans le savoir !

Mais elle n'était jamais passée aux actes, elle !

Si elle avait trompé son mari en pensée – quelle femme ne le fait pas un jour ou l'autre ! – elle ne lui avait jamais été physiquement infidèle, alors que lui avait pris une maîtresse, et jeune de surcroît, comme pour la blesser encore plus !

Donc, elle n'avait pas à se sentir fautive. Alors, c'était décidé : elle n'appelait pas son mari !

Et puis, de toute manière, les choses ne seraient jamais plus les mêmes avec lui. Il se sentait déjà complexé parce qu'elle gagnait plus d'argent que lui, maintenant que son salaire venait de tripler, qu'est-ce que ce serait ! Et elle, ne trouverait-elle pas son manque d'ambition et sa lenteur encore plus insupportables maintenant que sa réussite éclatait ?

Non, elle ne l'appelait pas...

Et de toute manière, elle n'avait plus rien à lui dire...

Il lui avait menti, il l'avait trompée, il était trop tard, elle recommençait sa vie...

Vers cinq heures trente, elle retourna chez elle, résolue à affronter enfin son mari, si du moins il était encore là, si du moins il n'avait pas quitté pour de bon le domicile conjugal pour rejoindre sa maîtresse.

14

Où la jeune femme doit faire un choix difficile

— Charles ? Tu es là ? dit-elle, en refermant derrière elle la porte de l'appartement, sans doute une des dernières fois, et elle se surprit à penser qu'elle n'en éprouvait aucune nostalgie, comme si vraiment tout était fini entre elle et son mari. Pas de réponse.

Pas de lumière dans le salon, qui était d'autant plus sombre que les rideaux n'étaient pas tirés, comme si c'était encore la nuit.

Une petite musique pourtant, qu'elle connaissait, un air entraînant qui cependant pouvait devenir obsédant, malgré sa noblesse, malgré sa beauté, un air que son mari et elle aimaient beaucoup à leurs débuts, quand tout allait bien, quand l'avenir leur appartenait : le célèbre *Boléro* de Ravel.

Inquiète, elle s'avança. Il lui parut distinguer une silhouette sur le plancher. Elle eut un mouvement de recul. Si c'était un étranger ? Elle alluma, ne reconnut pas tout de suite l'homme qui était assis à même le tapis, appuyé contre le canapé. C'était son mari, amaigri, les traits tirés, arborant une barbe de deux jours, les vêtements fripés, aussi pitoyable, pensa-t-elle, que le mari d'Emma Bovary après qu'il eut découvert les lettres qui lui révélaient les nombreuses infidélités de sa femme. Il tenait une bouteille de vin, vide aux trois quarts.

Lorsqu'il l'aperçut, il eut l'air de ressusciter.

— Michèle ? Tu es revenue ?

Elle ne répondait pas, se contentait de sourire, lui trouvait mauvaise mine, avec cette barbe poivre et sel qui lui mangeait le visage : et dire qu'il se faisait une règle d'être toujours rasé de près !

— J'ai tenté plusieurs fois de te joindre au bureau...

— Je sais.

Elle était embarrassée, ne savait trop quoi dire ni quoi faire, aurait préféré somme toute que son mari soit absent, ce qui aurait facilité les choses.

Charles se leva, s'avança vers elle, la serra dans ses bras, comme si elle venait de lui annoncer qu'elle avait tout oublié, qu'elle était prête à tout recommencer, qu'elle lui pardonnait sa faute. Elle ne réagissait pas, demeurait froide. Et lui continuait de la serrer comme Ulysse, descendu aux Enfers, serrait inutilement dans ses bras l'ombre de sa défunte mère.

— Je suis tellement content que tu sois revenue ! dit-il en relâchant son étreinte et en la regardant, les yeux illuminés par la joie de ce qu'il croyait être des retrouvailles.

Il s'excitait tout à coup comme si, en véritable autruche, il niait la situation. Que c'était commode : le problème dont on ne tenait pas compte s'évanouissait comme par enchantement ! Pour lui peut-être, surtout qu'il était le fautif, mais certainement pas pour elle !

— Tu sais, poursuivit-il avec un enthousiasme qui n'atteignait pas sa femme, il y a beaucoup de choses qui se sont passées depuis que tu es partie. J'ai travaillé très fort et j'ai enfin terminé ma thèse...

Il avait enfin terminé sa thèse ! Elle ne le croyait pas, affichait un air sceptique.

— Viens, dit-il, je vais te montrer !

Il l'entraînait vers son bureau, où elle le suivit sans enthousiasme, et, sur sa table où il avait peiné tant d'années, il désignait fièrement, comme s'il s'agissait d'un trophée acquis de haute lutte, un paquet de feuilles bien rangées, cent cinquante, deux cents pages environ, qui portait un nom, le sien, bien entendu, et un titre, moins évident celui-là et qui était une surprise pour elle, car il avait toujours préféré garder secret le sujet de sa thèse, peut-être parce qu'il la soupçonnait de ne pas être férue de philosophie allemande : *La notion de bonheur selon Emmanuel Kant.*

— Ah ! dit-elle, c'est bien.

La notion de bonheur selon Emmanuel Kant ! N'était-ce pas inouï? Il avait passé des années à percer les arcanes de la philosophie kantienne, à se désâmer sur la notion de bonheur et il n'était même pas foutu de rendre sa femme heureuse ! Et dire qu'il se flattait d'enseigner la philosophie !

— Et ce n'est pas tout, dit-il aussi excité qu'un gamin, j'ai reçu une offre d'une autre université, conditionnelle à l'acceptation de ma thèse, bien entendu, mais je l'ai fait lire à mon directeur, il dit que c'est génial... Alors je suis sûr d'avoir le poste, avec le salaire et tous les avantages ! Tiens, regarde, c'est écrit ici en toutes lettres !

Il se pencha un peu curieusement vers sa corbeille à papier, qu'il fouilla fébrilement, comme un fou, pour bientôt en extraire une boule qu'il s'empressa de défroisser et de lui montrer. Elle y jeta un regard rapide mais suffisant pour apercevoir les armoiries de l'université et le nom de son mari.

— Mais... demanda-telle, pourquoi as-tu jeté leur offre à la poubelle ?

Il hésita, et ses yeux devinrent humides :

— Parce que j'ai compris que sans toi il n'y avait plus rien qui m'intéressait...

Cet aveu inattendu la touchait et pourtant elle répliqua :

— Tu l'as compris trop tard. Il y aura toujours Boston...

Elle ironisait, faisant référence à la célèbre réplique de *Casablanca*, le film préféré de leur romantique jeunesse. Il marqua le coup, elle avait beau jeu de faire de l'humour sur leur situation, lui n'avait qu'à ravaler sa salive. Il protesta tout de même :

— Il ne s'est rien passé à Boston, je te le jure. Je n'ai jamais couché avec Catherine...

Catherine...

Le simple fait d'entendre le nom de cette étudiante dans la bouche de son mari la hérissait, la heurtait. Et pourtant, elle sentait que Charles cette fois-ci était sincère... D'ailleurs, elle pouvait lire dans sa pensée, le don n'était pas encore disparu : il ne lui mentait pas ! Pourtant, elle ne disait rien. Il poursuivait, le désespoir dans la voix, sentant bien que sa cause était perdue d'avance :

— Depuis cette fameuse dispute que nous avons eue l'année dernière après le *party* de bureau, tu étais froide à mon égard, j'ai pensé que tu ne t'intéressais plus à moi... je ne suis qu'un petit professeur à temps partiel, qui ne gagne même pas la moitié de ton salaire, et j'ai pensé que peut-être tu étais plus intéressé à un type comme ce grand aristo qui te tournait autour au *party* de bureau... Comment s'appelle-t-il au juste ?

— Parker...

— Oui, c'est ça, Parker. Lui au moins il a de la classe, et il doit gagner dix fois plus d'argent que moi... Et j'ai même pensé à un moment donné que vous aviez une aventure mais je ne disais rien, je ne voulais pas avoir l'air d'un mari jaloux, d'un envieux...

— Parker, si tu savais...

— C'est vrai ? Tu as eu une aventure avec lui ?

— Parker est marié et...

Il ne la laissa pas terminer, la coupa :

— Et après ?

Ce n'était pas la réplique la plus heureuse, il le réalisa en la disant :

— Évidemment, pour toi, être marié, ça n'a jamais été un empêchement.

— Non, ce n'est pas ça que je voulais dire...

— Parker est marié et gai. Il a fait un mariage de convenance, c'est tout. Il ne couche pas avec sa femme, ni avec aucune autre femme.

— Moi non plus, je n'ai jamais couché avec cette étudiante, je te le jure.

Il l'appelait cette étudiante au lieu de Catherine, c'était déjà mieux, beaucoup mieux, même.

— À Boston, poursuivit-il, elle avait sa chambre, moi la mienne. Elle m'admirait, elle me prenait pour un grand professeur, et moi, comme je sentais que tu me trouvais sans envergure, eh bien, j'étais flatté. C'est stupide, je sais, mais je me sentais si seul, si diminué...

La jeune femme ne disait rien. Il la supplia :

— Il faut que tu me croies, il faut que tu me pardonnes. Je sais que je t'ai menti, je sais que j'ai perdu ta confiance, mais il faut que tu me croies.

Elle ne disait toujours rien. Il aurait fallu qu'il lui dise toutes ces choses avant. Avant qu'elle se rende compte qu'il avait trompé sa confiance pendant des mois.

— Imagine la vie que nous aurions ensemble ! dit son mari, qui jouait ses dernières cartes, malgré l'échec de sa tentative précédente. Avec mon nouveau salaire de soixante mille dollars par année et le tien, on va enfin pouvoir se payer un peu de luxe, voyager, acheter une nouvelle voiture...

Elle n'avait plus besoin de son salaire, elle n'avait plus besoin de ses promesses, elle gagnait maintenant assez d'argent pour tout se payer toute seule !

Il fouilla fébrilement dans une pile de papiers, en tira une enveloppe :

— Tiens, dit-il, regarde, c'est une surprise ! Il y avait longtemps que je te l'avais promis, maintenant c'est fait.

Il lui tendit l'enveloppe, surexcité, puis tout de suite après la lui retira :

— Non, attends, essaie de deviner, je suis sûr que tu n'y arriveras pas.

S'il avait su qu'elle pouvait lire dans sa pensée, que c'était pour elle un véritable jeu d'enfant.

— Ce sont des billets d'avion, dit-elle, comme pour lui gâcher son plaisir et lui montrer que sa devinette n'en était pas une, qu'il ne pouvait rien lui cacher.

Il parut un peu surpris sur le coup, revint quand même à la charge :

— Oui, d'accord, ce sont des billets d'avion. Bravo ! Tu es très forte. Mais tu ne devineras jamais pour quelle destination !

— Boston !

Elle ironisait, elle le torturait, mais il ne se sentait pas la force de la rabrouer :

— Non, pas Boston, dit-il comme s'il n'avait pas noté la plaisanterie, d'ailleurs facile.

— Alors Paris ?

— Non.

Elle était sûre pourtant. Comment se faisait-il ? Son don la lâchait-il subitement ?

— Capri ?

— Non plus.

Elle était consternée, elle ne pouvait pas deviner le nom de la ville, alors que celui-ci devait occuper tout l'esprit de son mari : et il y a quelques jours, elle l'aurait deviné sans même avoir à se concentrer. Elle fit un nouvel effort, mais rien.

Elle ne lisait plus la pensée !

Le don était parti !

Le millionnaire avait tenu parole. Elle était débarrassée de sa clairvoyance. Et elle n'était plus sûre qu'elle en fût heureuse, mais elle ne pouvait quand même pas reprocher encore une fois au millionnaire d'avoir accédé à sa demande !

— Je donne ma langue au chat ! dit-elle enfin.

— Ouvre, ouvre ! dit avec excitation son mari en désignant l'enveloppe.

Elle l'ouvrit sans enthousiasme, souriant quand même, par gentillesse, ou par pitié, comme si elle voulait donner un peu d'espoir à son mari.

— Venise ! dit-elle.

— Oui, Venise ! Le départ est pour ce soir, neuf heures trente. C'est pour ça entre autres que je tentais de te joindre à tout prix. Mais tu vois c'est inouï, on s'inquiète toujours pour rien dans la vie : tu es arrivée juste à temps, même si je n'ai pas réussi à te joindre. Mais on n'a plus une seconde à perdre maintenant. Est-ce que tu es capable de boucler ta valise en dix minutes ?

Elle ne répondit pas, pensant à l'ironie de la situation puisqu'elle était justement revenue pour faire ses valises.

Elle replaça calmement les billets dans l'enveloppe et la remit à son mari qui était suspendu à ses lèvres et s'attendait au pire, lequel était pire que ce à quoi il s'attendait.

— Non, je... je regrette, mais je ne veux pas partir, enfin pas avec toi, je vais partir quelque temps, je te laisse l'appartement, j'ai besoin de réfléchir, ensuite on verra, mais je ne peux te faire aucune promesse...

— Ah, dit-il et de même qu'on dit qu'une seule goutte d'eau contient l'océan tout entier, il y avait dans ce « ah » autant d'étonnement et de douleur qu'il peut en tenir dans un mot de deux lettres.

— Si tu avais acheté ces billets il y a trois jours, ç'aurait été différent, mais maintenant je me suis faite à l'idée que nous étions séparés pour de bon, puisque tu avais rencontré quelqu'un d'autre... Et puis si tu y penses, ce n'est pas très grave, Charles, dit-elle avec une certaine tendresse qui contrastait avec la dureté de ses paroles précédentes. Tous les couples se séparent un jour ou l'autre. C'est la vie, Charles, c'est la vie, nous on aura tenu dix ans, ce n'est pas si mal au fond, c'est bien plus que les autres couples... Maintenant, si tu veux m'excuser, je vais préparer mes affaires...

Son mari ne dit rien, il n'avait pas l'air en colère, ni vraiment surpris, seulement abattu, défait, brisé. Et elle le laissa dans son bureau, passa dans sa chambre, déposa une grande malle sur son lit, et rapidement se mit à la remplir sans se préoccuper trop de l'ordre dans lequel elle disposait ses vêtements. Elle essayait de ne penser à rien, simplement de boucler le plus rapidement possible sa valise.

Son mari ne lui rendit pas la tâche facile, parce qu'au bout de quelques secondes il apparut dans la chambre comme un fantôme, comme un somnambule qui aurait fait le rêve le plus triste du monde.

Il s'assit dans l'unique fauteuil de leur chambre où souvent ils empilaient leurs vêtements, le soir, lorsqu'ils n'avaient pas la force de les ranger dans le placard.

Et sans rien dire, sans protester, sans la supplier de rester, il se mit à pleurer...

Elle le vit et eut envie de lui demander ce qu'il faisait là...

Il ne pouvait pas la laisser en paix à la fin !

Mais il était dans sa chambre après tout, sa chambre qui d'ailleurs était de plus en plus sa chambre et uniquement sa chambre à lui puisqu'elle lui laissait l'appartement...

Elle ne dit rien, se hâta pourtant. Elle n'avait pas l'habitude de voir un homme pleurer. Pas son mari en tout cas, qu'elle voyait pleurer pour la première fois en dix ans. Il retenait toujours ses larmes même lorsqu'il se brûlait ou lorsqu'il saignait, alors ça devait vraiment brûler, ça devait vraiment saigner !

— Bon, dit-elle en soulevant sa valise, qui était plus lourde que ce qu'elle avait prévu, ce qui arrive neuf fois sur dix, j'ai fini, je pars...

Il ne se levait pas pour la raccompagner, parce que peut-être il n'en avait plus la force, parce que peut-être il ne voulait pas prolonger le supplice.

Elle fit quelques pas en direction de la porte de la chambre, se tourna vers lui.

— Je te souhaite bonne chance, Charles.

Elle sortit de la chambre, traversa le salon aussi rapidement que la lourdeur de sa valise le lui permettait, s'arrêta près de la console où elle déposa sa clé puis sortit sans rien dire ni se retourner, un peu comme si elle fuyait.

Mais lorsqu'elle posa le pied sur les premières marches de l'escalier – leur appartement ne pouvait même pas se permettre le luxe d'un ascenseur! – des images surgirent soudain dans son esprit. Elle voyait tout à coup ce qu'elle avait vu dans le sublime esprit du millionnaire.

Venise, avec le Grand Canal, avec la place Saint-Marc, avec ce globe doré de la Douane, qui soutenait la statue de la Fortune et ressemblait étrangement à ses boucles d'oreilles, ces boucles d'oreilles mystérieuses qui avaient tant bouleversé sa vie...

Et elle pensa alors au millionnaire et elle le revit dans son château au moment où ils se séparaient...

Et elle vit ses yeux spirituels, et elle l'entendit lui répéter ses dernières paroles : « Bon voyage. Et souvenez-vous, où que vous alliez, vous allez toujours à la rencontre de vous-même. »

Et elle sentit alors un grand élan d'amour monter en elle.

Elle rebroussa chemin, et ne pouvant plus entrer puisqu'elle n'avait plus de clé, elle sonna.

Lorsque son mari répondit, ahuri de la voir là sur le seuil de la porte, si belle, si vibrante, elle dit simplement :

OÙ LA JEUNE FEMME DOIT FAIRE UN CHOIX DIFFICILE

— Fais ta valise.
— Ma valise ?
— Oui, je veux partir avec toi à Venise.

10 novembre 1997 – 22 août 1998

Cet ouvrage a été achevé d'imprimer sur les presses de
Imprimerie Quebecor L'Éclaireur